D0031601

Curas naturales

Más de 100 métodos y remedios de la medicina alternativa

Curas naturales

por las editoras de 

Este libro es una versión condensada de *Nuevas alternativas para curarse naturalmente*, originalmente publicado en 1998.

Fotografías de la portada por Kurt Wilson/Rodale Images

Impreso en los Estados Unidos de América en papel libre de ácidos ∞ y reciclado ♻

ISBN 1–57954–432–0 tapa dura

2 4 6 8 10 9 7 5 3 1 tapa dura

NUESTRO OBJETIVO

Nosotros queremos demostrar que toda persona puede usar el poder de su cuerpo y de su mente para mejorar su vida. El mensaje en cada página de nuestros libros y revistas es: ¡Usted sí puede mejorar su vida!

Aviso

Este libro sólo debe utilizarse como volumen de referencia y no como manual de medicina. La información que se ofrece en el mismo tiene el objetivo de ayudarla a tomar decisiones con conocimiento de causa acerca de su salud. No pretende sustituir ningún tratamiento que su médico le haya indicado. Si sospecha que tiene algún problema de salud, la exhortamos a buscar ayuda de un médico competente.

Las asesoras médicas de Prevention en Español

La doctora Hannia Campos, Ph.D.
Profesora auxiliar de Nutrición en la Escuela de Salud Pública de la Universidad Harvard en Boston, Massachusetts. También es miembro del comité planificador de la Pirámide Dietética Latinoamericana y profesora adjunta visitante del Instituto de Investigación de la Salud en la Universidad de Costa Rica.

La doctora en medicina Diana L. Dell
Profesora adjunta de Obstetricia y Ginecología en el Centro Médico de la Universidad Duke en Durham, Carolina del Norte y codirectora del programa de entrenamiento médico sobre cáncer cervical y cáncer de mama de la Asociación Médica Femenina de los Estados Unidos.

La doctora en medicina Clarita E. Herrera
Instructora clínica de la Administración de Atención Primaria en el Colegio de Medicina de Nueva York en Valhalla y médica adscrita adjunta en el Hospital Lenox Hill en la ciudad de Nueva York.

La doctora en medicina JoAnn E. Manson
Profesora adjunta de Medicina en la Facultad de Medicina de la Universidad Harvard y codirectora de los programas de salud femenina en el Hospital Brigham and Women's en Boston, Massachusetts.

Índice

Primera Parte

LOS MEJORES MÉTODOS DE CURACIÓN NATURAL

Segunda Parte

REMEDIOS NATURALES PARA 25 PROBLEMAS DE LA SALUD

ILUSTRACIONES Y RECURSOS

PRIMERA PARTE

LOS MEJORES MÉTODOS DE CURACIÓN NATURAL

Introducción

Remedios antiguos para el nuevo milenio

Desde los marcapasos hasta las píldoras anticonceptivas, desde trasplantes de riñón hasta corazones artificiales, los Estados Unidos de América tienen fama internacional por sus avances médicos.

Pero aun cuando las técnicas médicas revolucionarias continúan sobresaliendo en las noticias, hay una revolución de salud más sutil que está ocurriendo en hogares a lo largo y ancho del país. Mientras la medicina convencional se vuelve aún más complicada y costosa, un número creciente de personas está "regresando" a la curación natural al usar métodos simples y tradicionales para prevenir las enfermedades y resolver los problemas comunes de salud.

Considere esto:

- En 1997, el último año en que hay estadísticas confiables, se calcula que los estadounidenses hicieron aproximadamente 627 millones de consultas a profesionales de medicina alternativa, mientras que sólo hicieron 410 millones de consultas a médicos de cuidado primario.
- En 1992, los Institutos Nacionales de Salud en Bethesda, Maryland, establecieron la Oficina de Medicina Alternativa, la cual dedica más de 12 millones de dólares al año a explorar técnicas no convencionales de curación tales como meditación, masaje, terapia de vitaminas y terapia de hierbas.
- En 2000, se calcula que los estadounidenses gastaron aproximadamente 16 mil millones y medio de dólares en remedios herbarios y otros suplementos alimenticios.

Medidas cada vez más comunes

¿Qué está pasando? ¿Qué es lo que homeópatas, herbolarios y masajistas pueden ofrecer a una sociedad que se jacta de tener la tecnología médica más avanzada del mundo? ¿Por qué la gente acude a las tiendas de productos naturales en busca de hierbas o suplementos y por qué regresan para comprar más?

"Ha habido un verdadero cambio en la forma en que la gente piensa acerca de su salud", dice el Dr. Andrew Weil, profesor de Medicina Alternativa en la Facultad de Medicina de la Universidad de Arizona en Tucson. "Al mismo tiempo —explica—, la gente se está dando cuenta de que la medicina convencional es cara, a veces peligrosa y no siempre es efectiva".

Si bien el término "medicina alternativa" puede evocar algunas imágenes bastante exóticas, muchas de estas terapias son más familiares de lo que usted piensa. Si alguna vez se ha masajeado las sienes para aliviar un dolor de cabeza si se ha aplicado hielo en un tobillo torcido o si ha escuchado la radio para "desestresarse" durante un tapón (embotellamiento, tranque), usted ya ha practicado algunas técnicas simples y naturales de curación.

La mayoría de nosotras sabemos que podemos complementar nuestra alimentación con suplementos vitamínicos o que podemos tomar un jugo de ciruelas para evitar el estreñimiento. De lo que quizá no nos damos cuenta es que estas técnicas comprobadas generalmente son más baratas, más seguras y mejores que los calmantes, los laxantes o un traguito tomado al llegar del trabajo.

Hasta hace unos pocos años, las infusiones a base de hierbas, esos remedios antiguos que parecían servir para cualquier mal, desde insomnio hasta náuseas, se vendían principalmente en las tiendas de productos naturales. Actualmente, usted verá una variedad enorme de estas al lado del chocolate y el café en su supermercado local. Una compañía de cosméticos, Origins, usa en su línea de Terapia Sensoria aceites de aromatoterapia, entre ellos hierbabuena, gaulteria (*wintergreen*), canela, regaliz y pachulí.

Hasta los médicos más ortodoxos han empezado a recomendar terapias naturales —no fármacos— para tratar tanto enfermedades comunes como serias. Por ejemplo, la modificación de la alimentación se ha convertido en un arma contra una gran cantidad de enfermedades que anteriormente se hubieran tratado principalmente con medicamentos de receta. "Sabemos que muchas afecciones están causadas por una alimentación equivocada y que se pueden revertir con una que sea adecuada", dice el Dr. Neal Barnard, presidente de la Comisión de Médicos para la Medicina Responsable en Washington, D. C. "Enfermedades del corazón, cáncer, problemas de peso, artritis, diabetes, presión arterial alta. . . todas estas afecciones se pueden tratar de alguna manera con alimentos".

La historia de las curas naturales

Aunque las terapias naturales se han descrito como la onda del futuro, son mucho más antiguas que tratamientos occidentales como la cirugía y los antibióticos. Los expertos calculan que los remedios de hierbas han sido usados durante aproximadamente 5,000 años. Los antiguos egipcios usaban aceites fragantes en lo que puede haber sido una versión original de la aromatoterapia, y la homeopatía, una de las terapias naturales más nuevas, tiene más de 200 años.

A comienzos del siglo XIX la homeopatía era tan popular como la alopatía —el tipo de medicina ejercida por los médicos convencionales—, según explica el Dr. David Edelberg, internista y director médico del Centro Holístico Estadounidense en Chicago, uno de los centros de tratamiento alternativo más grandes de los Estados Unidos. Edelberg dice que "había docenas de colegios médicos 'eclécticos' en el siglo XIX, los cuales enseñaban un enfoque de la medicina que finalmente se convirtió en naturopatía", un tipo de medicina todavía ejercida hoy que usa varias técnicas alternativas, entre ellas homeopatía, acupuntura, masaje, hidroterapia, consejos sobre nutrición y terapias de hierbas y vitaminas.

No fue sino hasta principios del siglo XX, la edad de oro del desarrollo de los fármacos, que los estadounidenses adoptaron la actitud de que la buena salud se encuentra en el botiquín de los medicamentos. "La medicina tecnológica logró algunos avances increíbles en la primera mitad del siglo", dice el Dr. Weil. Cuando consideramos los descubrimientos que salvan vidas como la penicilina y la vacuna de polio de Salk, parecía razonable suponer que los científicos desarrollarían algún día aún más medicinas "milagrosas" para eliminar el cáncer, las cardiopatías y otras enfermedades serias.

"Sin embargo, la gente no demoró mucho en darse cuenta de que la tecnología crea tantos problemas como resuelve", dice el Dr. Weil.

Un ejemplo es el uso generalizado de los antibióticos, que ha dado lugar a una serie de bacterias que son altamente resistentes a la mayoría de las medicinas en el arsenal convencional, dice Sheila Quinn, gerente de la Asociación Estadounidense de Médicos Naturópatas, una organización con sede en Seattle que proporciona información sobre la medicina naturopática y manda pacientes a médicos naturópatas. Si bien los antibióticos han salvado millones de vidas, en realidad no han resuelto problemas como la tuberculosis, que se está manifestando en formas nuevas que no responden a terapias convencionales, dice el Dr. Edelberg.

"Los naturópatas realmente están en algo", dice el Dr. Edelberg. Por ejemplo, en lugar de recetar un antibiótico para eliminar una infección, un médico naturópata puede recetar una combinación de remedios naturales para atacar la infección pero luego también tratará de determinar qué factores en la vida diaria del paciente —tales como estrés, mala nutrición o ejercicio inadecuado— lo hicieron susceptible a la enfermedad en primer lugar. Los curadores naturales pueden usar una combinación de jugos, suplementos vitamínicos y minerales, cambios en la alimentación y otras terapias para fortalecer el sistema inmunitario, el cual es la defensa natural del cuerpo contra las infecciones. Mientras el sistema inmunitario se vuelve más fuerte, se pueden usar hierbas contra bacterias y virus, además de preparaciones homeopáticas para combatir la infección.

Pueden hacer una buena combinación

Esto no quiere decir que los tratamientos alternativos deban ser un sustituto de la medicina convencional. La mayoría de los profesionales de la medicina alternativa creen que el mejor cuidado involucra la consideración de todas las opciones, inclusive la medicina convencional.

Un área donde el tratamiento alternativo es particularmente útil es en el manejo del estrés, que ha sido implicado en una gama extensa de afecciones, desde alergias y problemas de la piel hasta trastornos gastrointestinales y enfermedades cardíacas. La meditación, el relajamiento y las terapias de tacto, tales como masaje, ofrecen técnicas simples y prácticas para mantener el estrés bajo control.

En el Reino Unido, donde las técnicas naturales son más conocidas y se usan más extensamente que en los Estados Unidos, se llaman terapias complementarias, un término que parece gustarle tanto a los médicos convencionales como a los profesionales de la medicina alternativa. "En cierto sentido, este nombre es mejor", dice el Dr. Edelberg. "Ilustra el lugar apropiado de estas terapias: en conjunto con los tratamientos médicos convencionales".

Mientras algunos profesionales en la comunidad médica han sido lentos en aceptar los tratamientos no convencionales, hay señales de que estas actitudes están cambiando. "Los médicos son intelectualmente curiosos —dice el Dr. Edelberg—. Hemos tenido doctores en medicina que llaman y nos visitan de todo el país, y muchos han querido venir aquí para pasar unos días hablando con los profesionales".

Esta disposición a considerar terapias alternativas también está empezando a extenderse en la industria del seguro de salud. Algunos proveedores grandes han empezado a experimentar con la cobertura de tratamientos alternativos. Un programa piloto en la compañía de seguros Mutual of Omaha, por ejemplo, cubre el programa de rehabilitación cardíaca del Dr.

Dean Ornish, y Blue Cross of Washington, otra compañía de seguros, tiene una póliza que cubre naturopatía y homeopatía.

Pero ninguna compañía de seguros ha hecho un compromiso tan grande con la curación natural como lo hizo la American Western Life Insurance Company en Foster City, California. El plan Wellness (Bienestar) de la compañía cubre tratamientos naturopáticos, entre ellos homeopatía, consejos sobre nutrición, masaje y fisioterapia.

"Estábamos buscando un mecanismo de contención de costos, no una nueva filosofía", dice Lisa WolfKlain, vicepresidente de American Western y supervisora del plan Wellness. Pero en la búsqueda de formas para cortar los costos de cuidado de salud, American Western descubrió la naturopatía. Actualmente, la compañía mantiene una "Línea de Wellness" en forma permanente, con médicos naturópatas entrenados para contestar preguntas de los clientes sobre el cuidado de la salud.

Las primas para el plan Wellness son aproximadamente un 20 por ciento más bajas que las de los planes tradicionales de la compañía, dice WolfKlain, "porque nosotros creemos firmemente que si la gente se cuida y toma medidas preventivas, esto nos va a ahorrar mucho dinero a largo plazo".

Aunque el plan de Wellness tiene más de 2,000 subscriptores, se ofrece solamente en cinco estados del oeste. Para obtener más información en cobertura para tratamientos alternativos, póngase en contacto con su compañía de seguros.

Regresar a la naturaleza

El interés por la curación natural se ha ido incrementando desde los años 60, dice el Dr. Edelberg. "Fue una combinación del tono rebelde de esa década y la visita del presidente Nixon a China en 1974, que llevó a una flexibilización de las leyes inmigratorias para gente procedente del Oriente", dice el Dr. Edelberg. "En este país, había un grupo de gente joven curiosa y receptiva que ya estaba interesada en una forma de vida apegada a la naturaleza. Repentinamente, había miles de asiáticos inmigrando con su propia cultura y conocimiento médico. Los estadounidenses, particularmente en California, estaban muy interesados".

Pero aunque el movimiento de regreso a la naturaleza haya empezado como un fenómeno de la costa oeste, personas en todo el país están explorando las terapias naturales en números crecientes, dice Gene BeHage, vicepresidente de mercadeo de GNC (Centro de Nutrición General), una cadena nacional de tiendas de productos de salud. GNC es el minorista más grande en el país especializado en hierbas, comidas naturales y suplementos de vitaminas y minerales.

Hace diez años, la compañía con sede en Pittsburgh nada más tenía

CÓMO USAR ESTE LIBRO

El libro que tiene en sus manos es una potente arma de la medicina natural, una colección concentrada de más de 100 recursos sencillos y prácticos. Igual como necesitaría con cualquier arma, precisa algunas instrucciones simples sobre cómo usarla para que sea más efectiva. Obviamente, cuando use este libro, usted probablemente mirará primero la Segunda Parte, “Remedios naturales para 25 problemas de la salud”, para encontrar un tratamiento para el problema de salud que la está molestando.

Puede usar cualquiera de esos remedios ahora mismo. Pero notará que casi todos los remedios individuales la remiten a un capítulo en la Primera Parte de este libro, “Los mejores métodos de curación natural”. Por lo tanto, si ha decidido probar jugos para un problema de salud, quizá le convendría leer primero el capítulo sobre ellos. Si ha decidido probar un remedio homeopático, posiblemente le convendría leer primero el capítulo de homeopatía y hacer lo mismo para los demás métodos. No *tiene* que leer estos capítulos primero. Sin embargo, si los lee, estará más informada (y probablemente tendrá más éxito) al usar los remedios naturales que se recomiendan.

Además, algunos de los remedios en la Segunda Parte le puede pedir que se dirija a una ilustración. Para su mayor conveniencia, hemos reunido estas ilustraciones en una sección al final del libro.

Finalmente, puede que algunos de los remedios que el libro recomiende no estén disponibles en su área y tenga que pedirlos por correo. Para hacer esto, usted debe de consultar la lista de tiendas en la página 170. Y si no conoce una hierba o suplemento, consulte el glosario en la página 167.

800 tiendas, pero ha crecido rápidamente y actualmente hay más de 3,000 tiendas de GNC en todo los Estados Unidos.

Medicina natural para los tiempos modernos

¿Por qué tanto interés recientemente? El aumento en los costos de salud puede ser un factor, dice BeHage. "La gente está tomando más control de sus destinos en lo que se refiere a su salud", dice. "Lo tienen que hacer, porque con el costo actual de la asistencia médica, no pueden darse el lujo de no hacerlo".

Al mismo tiempo, más y más estadounidenses han sido afectados por nuevas enfermedades degenerativas crónicas como el SIDA y el síndrome de fatiga crónica, que son afecciones que la medicina occidental no puede curar. "La medicina convencional no tiene mucho éxito en tratar las enfermedades crónicas, que definitivamente están en alza", advierte el Dr. Edelberg. En muchos casos, los medicamentos no pueden ayudar a muchos pacientes con fatiga crónica, artritis o síndrome de intestino irritable, afirma. Si es que dan resultado, afirma el Dr. Edelberg, las medicinas para estas enfermedades crónicas causan efectos secundarios tan severos que la gente abandona el tratamiento completamente.

"Los médicos convencionales generalmente le dicen a sus pacientes que aprendan a vivir con estos problemas, pero para una mujer de 32 años de edad con intestino irritable que no quiere vivir con diarrea y dolor de estómago por el resto de su vida, eso simplemente no es aceptable", dice el Dr. Edelberg. "Las personas están dispuestas a probar tratamientos no convencionales porque quieren mejorarse".

A muchos pacientes también les atrae el énfasis alternativo de estos profesionales en el tratamiento de la persona entera: mente, cuerpo y espíritu. Los médicos holísticos como el Dr. Edelberg usan terapia intensiva para ayudar a los pacientes a descubrir los aspectos de sus vidas cotidianas, como estrés en el trabajo, problemas matrimoniales, alimentación o hábitos de sueño, que puedan estar causando sus síntomas.

Tome su salud en sus manos

Finalmente, sea que estén cambiando su alimentación o relajándose con meditación, los pacientes que optan por el enfoque natural dicen que se sienten más en control de su salud.

Esta es una de las metas principales de la curación natural, dice WolfKlain. "La idea es romper el ciclo de dependencia, hacer a la gente saludable y mantener a todos fuera del consultorio del médico cuando no es necesario. Mucha gente va con el médico con una mentalidad de víctima: 'Aquí estoy, soy un cuerpo, hágase cargo y cuídeme'. En cambio, nosotros queremos que ellos pregunten cómo ellos mismos pueden hacerse cargo y cuidarse".

Los profesionales de métodos alternativos admiten que este enfoque no es para todos. "Hay mucha gente que piensa: 'Yo no quiero cambiar mi vida. No quiero oír que mi trabajo me está provocando un ataque al corazón. Simplemente deme una pastilla'. Nosotros mandamos estos pacientes de vuelta a los médicos convencionales, quienes probablemente harán eso", dice el Dr. Edelberg.

"Cambiar la conducta es difícil", dice Quinn. "Los profesionales de la medicina alternativa son mejores en ayudar a la gente a cambiar su conducta porque eso es lo que su entrenamiento enfatiza y porque invierten más tiempo en conocer al paciente".

Alimentos

Comidas que pueden curar

Hay un refrán que dice: "Por la boca muere el pez". Desafortunadamente, el pez no es el único que hace esto. Según las estadísticas, cuatro de los diez principales causantes de muerte —enfermedad del corazón, cáncer, derrame cerebral y diabetes— están vinculados a lo que comemos. Además, se está implicando a la alimentación cada vez más como la causa o como un factor contribuyente de otras dolencias, desde acné y artritis hasta síndrome premenstrual y sobrepeso.

"El aspecto realmente trágico de esto es que estábamos tan ocupados aprendiendo todas esas cosas de 'médicos' en la escuela de Medicina que considerábamos que la nutrición era un tema aburrido", dice el Dr. Michael A. Klaper, un especialista en medicina nutritiva de Pompano Beach, Florida. "Pero después de que empezamos a ejercer la medicina, nos pasamos la mayor parte del día tratando a personas con enfermedades que tienen grandes factores nutritivos que han sido esencialmente ignorados por mucho tiempo. Con frecuencia recibo llamadas de médicos de todo el país que dicen que sus pacientes les preguntan sobre la nutrición y su papel en la afección que padecen y no saben qué decirles".

Pues ahora resulta que la gente, después de tantos años de contar con la medicina "moderna" de medicamentos y cirugía, se está dando cuenta de algo conocido desde que el mundo es mundo: los alimentos son una poderosa medicina.

Problemas por el progreso

Descubrimientos arqueológicos en Mesopotamia, que se cree tienen 5,000 años, mostraron que los antiguos sumerios, asirios, acadios y babilonios usaban comidas, hierbas y especias como medicina. Los antiguos egipcios trataban el asma con higos, uvas y hasta cerveza. Además, recomendaban el ajo como una cura para infecciones y otras enfermedades, una costumbre que continuamos hoy en día. El apio se ha usado desde el año 200 a. C. en la medicina tradicional asiática para bajar la presión arterial. En los Estados Unidos, hasta el siglo XX, el uso de alimentos con fines medicinales era común. Antes de eso, este país consistía principalmente en granjas pequeñas. "La gente comía en gran parte lo que cultivaba", dice el Dr. Klaper, y lo que cultivaba eran frutas, verduras y granos, o sea, alimentos integrales altos en elementos nutritivos y fibra y bajos en grasa. A causa de no tener los antibióticos y las otras medicinas de hoy, sus jardines también eran botiquines de medicamentos y sus cocinas actuaban como farmacias.

Pero luego llegó la revolución industrial y, con ella, una nueva manera de comer y una nueva actitud hacia la comida. "Cuando Henry Ford empezó a producir tractores motorizados en su cadena de montaje en 1905, la alimentación estadounidense empezó a cambiar y como consecuencia también la salud de los estadounidenses", dice el Dr. Klaper. "De repente, el granjero que araba tres acres al día detrás de un equipo de caballos podía arar 50 acres con un tractor. Las llanuras brotaron con montañas de maíz, sorgo y avena para alimentar a millones de vacas, puercos y gallinas, y entonces la carne se convirtió en un producto básico y suficiente en la alimentación en lugar de un plato para ocasiones especiales".

La alimentación estadounidense pasó de ser baja en grasa, rica en fibra y basada en plantas a ser una alimentación centrada en torno a fuentes animales altas en grasa y bajas en fibra. "Esto contribuyó a muchas de las enfermedades que estamos viendo ahora, tales como la cardiopatía y el cáncer", agrega el Dr. Klaper. "La gente muy rara vez desarrollaba cáncer en aquel tiempo. La enfermedad cardíaca es una enfermedad del siglo XX; el primer ataque al corazón se describió en el *Journal of the American Medical Association* (Revista de la Asociación Estadounidense de Medicina) en 1908. En realidad, si usted busca en un libro de Medicina de alrededor de 1860, no encontrará nada acerca de arteriosclerosis coronaria (endurecimiento de las arterias). Si la afección existía, era rara y generalmente no reconocida. Ahora es una de las afecciones más comunes".

Hacia finales de la Segunda Guerra Mundial, las fábricas y plantas procesadoras habían reemplazado a las granjas familiares y la prosperidad de la posguerra encontró nuevos héroes de curación. "La gente empezó a depender de los llamados medicamentos milagrosos, como los antibióticos, y prestó menos atención a los alimentos como medicina", dice el farmacéutico Earl Mindell, R.Ph., Ph.D., profesor de Nutrición en la Universidad Pacific Western de Los Ángeles, California. "Al mismo tiempo, a medida que la televisión se volvió más popular y se introdujo en más hogares, los alimentos dejaron de ser integrales y nutritivos y empezaron a ser procesados y refinados y carentes de los necesarios elementos de nutrición. La gente empezó pronto a comer frente a sus televisores alimentos de preparación rápida".

Ya para la década de los años 50, la comida ya no se veía como un agente curativo, sino como un combustible para el cuerpo. Los restaurantes de comida rápida y hamburguesas se extendieron por todas partes, y la gente empezó a verlos como si fueran gasolineras alimenticias, donde podían "llenarse" rápidamente y seguir andando. Así se acostumbraron a "llenarse el tanque" de comida densamente procesada y alta en grasa. Además, según el Dr. Mindell, en aquel tiempo los médicos no ponían mucho énfasis en orientar a sus pacientes sobre la nutrición adecuada. "Cuando los pacientes preguntaban a los médicos acerca de la nutrición o las vitaminas, los médicos no le daban mucha importancia a ese tema, diciéndoles 'mientras usted tenga una alimentación bien equilibrada no tiene por qué preocuparse'", enfatiza.

Preocupaciones por los platillos

Los médicos estaban equivocados. Había mucho por qué preocuparse, tal como estamos aprendiendo hoy en día. La alimentación en este país es el contribuyente principal a la enfermedad cardíaca, la causa principal de muerte en los Estados Unidos, de acuerdo con el Dr. Basil Rifkind del Instituto Nacional de Corazón, Pulmón y Sangre en Bethesda, Maryland. Se calcula que la alimentación juega un papel crucial en aproximadamente el 30 por ciento de los casos de cáncer. Más y más, los investigadores están aprendiendo cómo la forma en que comemos puede influir en nuestra salud física y emocional y desempeñar un papel principal en muchas enfermedades más, desde la artritis hasta el desarollo de las arrugas.

"Cuando usted se sienta a comer, tres veces al día usted se está dosificando con cantidades inmensas de cosas que determinarán lo que circulará por sus arterias y sus venas durante el resto del día", dice el Dr. Neal Barnard, presidente de la Comisión de Médicos para la Medicina Responsable en Washington, D. C. "La mayoría de las personas no piensan en los alimentos como medicina, pero en realidad la comida es el medicamento más grande al que estamos expuestos".

Desgraciadamente, la mayor parte de tal "medicina" está un poco "enferma". La mayoría de los alimentos en la alimentación estadounidense ya no son integrales, término usado para describir un alimento en su forma más natural y sin adulteración, libre de procesamiento, preservativos y aditivos. Hasta de las verduras y las frutas más frescas, claramente los alimentos más nutritivos de la alimentación estadounidense, se puede sospechar: solamente el 1 por ciento de la producción de alimentos en los

Estados Unidos es orgánica, es decir, cultivada sin el uso de pesticidas causantes de cáncer y otros productos químicos peligrosos.

Cuando los alimentos se procesan o se refinan, pierden su fuerza nutritiva. Hay menos vitaminas y fibra y más grasa y azúcar, dice el Dr. Elson Haas, director del Centro de Medicina Preventiva de Marín en San Rafael, California, y eso trae problemas.

"La razón por la cual muchos de nosotros nos enfermamos y permanecemos enfermos es por el desequilibrio nutritivo", dice el Dr. Haas. "Y cuando usted piensa en el desequilibrio nutritivo, hay dos problemas principales: congestión (demasiadas comidas no apropiadas que entran en nuestro organismo y luego no se procesan ni se eliminan apropiadamente) y deficiencia, que viene de no obtener suficientes vitaminas, minerales, aminoácidos y ácidos grasos esenciales. Estos dos problemas interfieren con la capacidad del cuerpo para realizar las funciones que tiene que realizar, por tanto padecemos de resfriados (catarros), sequedad en la piel, pérdida del cabello y fatiga".

Quizá aun más significante es el peligro posible de muchos aditivos comunes de los alimentos. *Aspartame*, el edulcorante artificial que se vende bajo las marcas *NutraSweet* y *Equal*, puede causar dolores de cabeza y migrañas, sarpullidos, zumbidos en el oído, depresión, insomnio y pérdida de motricidad, de acuerdo a un estudio de la Dirección de Alimentación y Fármacos. Los nitratos y nitritos, usados como conservantes en carnes y pescados, forman compuestos carcinógenos. Otros aditivos comunes, como el glutamato de monosodio (*monosodium glutamate*), hidroxinasol butilada (*butylated hydroxyanisole*) y el aceite vegetal bromatizado (*bromatized vegetable oil*), pueden crear también muchos problemas más allá de la dificultad de pronunciar sus nombres; estos se han vinculado a las palpitaciones cardíacas, náuseas, dolores de cabeza y daños al sistema nervioso.

"Pocos minutos después de que usted ha comido, las moléculas de esos alimentos están en cada célula de su cuerpo —dice el Dr. Klaper—. Allí producen cambios en cada nivel, desde cambios de pH en la sangre hasta cambios de membrana en los músculos y las células nerviosas".

¿Qué pasa con la grasa?

Incluso los alimentos sin aditivos pueden causar problemas si tienen altos contenidos de grasa, como muchos de los que forman parte de la alimentación típica estadounidense. La mayoría de nosotras tenemos alimentaciones que contienen aproximadamente un 40 por ciento de grasa. Idealmente, dicen los expertos, la grasa debería representar alrededor del 25 por ciento del total de calorías diarias.

"Alrededor de cada célula hay una membrana que contiene un pequeño 'sobre' de grasa; este es necesario para que las células puedan comunicarse entre sí", dice el Dr. Klaper. "Una forma en que estas células se comunican es al lanzarse unas a otras pequeños pedazos de estas membranas". Entonces, cuando usted sufre una infección o un virus, o incluso cuando tiene una astillita en el dedo, su cuerpo puede usar la reacción inflamatoria y luego apagarla (cuando se quita la astilla, por ejemplo) debido a esa comunicación entre las células a través de las membranas.

Si este pequeño sobre de grasa se vuelve un sobre grande, como sucede con muchas personas, la comunicación entre las células se vuelve turbia. "La grasa actúa como un impermeable aceitoso en las células, especialmente en las células inmunitarias que ayudan a combatir enfermedades y otros invasores", agrega el Dr. Barnard. "Por lo que no les permite a las células funcionar bien".

Bien, pues tan sólo tenemos que eliminar esa grasa, ¿no? Pero el problema es que no siempre es fácil detectar la grasa peligrosa en su alimentación. "Todo lo que la gente ve son esas letras: G-R-A-S-A. Pero la verdad es que no todas las grasas son iguales", dice el Dr. Klaper. "Hay una gran diferencia entre la grasa de la carne de res y el aceite de semilla de lino (aceite de linaza): una puede obstruir sus arterias y el otro tiene el efecto opuesto y puede ayudar a bajar el colesterol. Todas las personas necesitan aproximadamente 30 gramos de grasa al día para construir nuevas células y nervios así como para otras funciones, inclusive la de ayudar a curar ciertos problemas de salud. Dado todo esto, uno debe asegurarse de consumir la grasa apropiada".

Hay que curar el centro primero

Algunos dicen que el centro de su potencial curativo está literalmente en medio de su cuerpo. "La mayoría de la gente no es consciente de cuán importante es la salud intestinal para la salud en general", dice el Dr. Haas.

Literalmente docenas de problemas de salud, hasta algunos inesperados como cambios de ánimo, acné y sarpullidos, pueden surgir a causa de problemas formados en el intestino: la producción excesiva de bacterias, congestión en los intestinos y otras afecciones causadas por comer los alimentos equivocados, según el Dr. Haas. Estas afecciones se pueden tratar con cambios simples en la alimentación.

El Dr. Haas recomienda lo que él llama la dieta de la desintoxicación (vea "Cómo desintoxicarse" en la página 18), un plan de alimentación de 3 semanas que, según él, purifica el cuerpo y lo ayuda a deshacerse de problemas congestivos. A diferencia de un ayuno, que evita los alimentos sólidos, el plan del Dr. Haas incluye muchos sólidos: verduras cocidas, cereales integrales, frutas frescas y, después del período inicial de 3 semanas, legumbres, frutos secos y otros alimentos integrales. "Es un plan de transición para ayudar al cuerpo a deshacerse de las toxinas y volver a equilibrar los hongos anormales, bacterias y parásitos que causan enfermedades. Ayuda a que el cuerpo se cure a sí mismo —dice el Dr. Haas—. La eliminación apropiada de estas toxinas es esencial para la salud intestinal y general".

Otra ventaja de este tipo de dieta es que es rica en fibra, una parte esencial para curarse con alimentos. "Los alimentos ricos en fibra la llenan, por lo que usted come menos", dice Rosemary Newman, R.D., Ph.D., dietista y profesora de Alimentos y Nutrición en la Universidad de Montana en Bozeman, que ha estudiado la fibra y su relación con el colesterol desde el comienzo de los años 80.

Eso es importante, ya que muchos de los problemas de salud que nos afectan son el resultado del sobrepeso, un problema que afecta a más de 47 millones de adultos estadounidenses. Pero quizá aún más significante, dice la Dra. Newman, es que la fibra ayuda a prevenir la absorción de grasa y colesterol desde el sistema intestinal.

Hay dos tipos de fibra y se encuentran en varios grados en diferentes alimentos. La fibra soluble es abundante en frijoles (habichuelas), frutas y granos tales como avena, cebada y centeno. La fibra insoluble se encuentra en verduras, cereales y granos tales como el trigo. La fibra soluble forma un material parecido al gel que impide a la grasa dietética y al colesterol llegar a la pared interior de los intestinos, donde son absorbidos por el cuerpo, dice la Dra. Newman. Por lo tanto, si está comiendo algo muy alto en grasa como un bistec, asegúrese de incluir con él un alimento de fibra soluble, como por ejemplo frijoles.

"Pienso que deberíamos consumir la mayoría de nuestra fibra dietética junto con la comida más alta en grasa del día para hacerla trabajar más efectivamente —agrega—. Ya que la fibra soluble inhibe la absorción de la grasa dietética, lógicamente va a ser más efectiva cuando estamos ingiriendo la mayoría de esa grasa dietética".

Mientras tanto, la fibra insoluble que se encuentra en la mayoría de las verduras no se convierte en un material parecido al gel, por lo que es menos efectiva para prevenir que la grasa sea absorbida. Pero aun así proporciona un beneficio muy importante: nos mantiene evacuando con regularidad, de manera que los alimentos y las toxinas pasen por nuestros intestinos más rápidamente.

"Una vez más, esto impide la congestión, una de las dos razones del desequilibrio nutritivo que causa tantos problemas de salud", dice el Dr. Haas.

Mejórese al masticar

Una vez que reduzca la grasa en su alimentación y aumente su ingestión de fibra, usted reduce su riesgo de desarrollar ciertas enfermedades y también ayuda a la capacidad de su cuerpo de recuperarse. "Ha sido bien establecido que una alimentación apropiada puede dar protección contra ciertas enfermedades tales como cáncer, cardiopatía, hipertensión (presión alta), artritis, diabetes y problemas asociados con la obesidad", dice el Dr. Barnard. "Pero estas afecciones también se pueden tratar con alimentos a través de una alimentación baja en grasa".

Probablemente la afección más ampliamente estudiada sea la enfermedad cardiovascular, que mata a dos de cada cinco estadounidenses, de acuerdo a las estadísticas de la Asociación del Corazón de los Estados Unidos. Cerca de una docena de extensos estudios médicos muestran que usted puede en realidad revertir la placa en las arterias —causa principal de los ataques cardíacos— si cambia su alimentación para que tenga un bajo contenido de grasa saturada, dice el Dr. Neil Stone, profesor adjunto de Medicina en la Universidad Northwestern en Chicago, Illinois.

En realidad, el Dr. Stone advierte que en algunos casos, una alimentación con poca grasa por sí sola puede ser tan efectiva en reducir el riesgo de ataques cardíacos como utilizarla en combinación con medicamentos para bajar el colesterol.

Las carnes, los productos lácteos enteros, los huevos y las meriendas (botanas, refrigerios, tentempiés) como las papitas fritas y las galletas, son las fuentes principales de grasa saturada en la alimentación estadounidense.

"Con una alimentación de bajo contenido en grasa, especialmente una que no tenga fuentes alimenticias animales ni esas comidas rápidas procesadas, usted verá todo tipo de cambios positivos, —dice el Dr. Klaper—. Las articulaciones frecuentemente dejan de doler. El asma generalmente mejora. La psoriasis puede también mejorar mucho o desaparecer. Usted empieza a darse cuenta de que hay muchas

CÓMO DESINTOXICARSE

La forma de curar muchos problemas de salud es con una dieta desintoxicante que limpie el cuerpo y restablezca el equilibrio nutritivo necesario para una salud óptima, dice el Dr. Elson Haas, director del Centro de Medicina Preventiva de Marín en San Rafael, California. Su dieta se debe seguir durante sólo tres semanas ya que no es lo suficientemente equilibrada, desde el punto de vista nutritivo, para períodos más largos. No deben seguir esta dieta mujeres embarazadas o las que sufran algún problema de deficiencia marcado por fatiga, enfriamiento o debilidad del corazón. Esta es la dieta de desintoxicación:

Desayuno. Inmediatamente después de levantarse, tome dos vasos de agua, uno de ellos con jugo de medio limón. También coma una o dos porciones de fruta fresca, como manzanas, peras, plátanos amarillos (guineos), uvas o frutas cítricas tales como naranjas o toronjas (pomelos).

Entre 15 y 30 minutos después, aproximadamente, coma una o dos tazas de uno de los siguientes cereales: avena cocida, arroz moreno, amaranto o alforjón (trigo sarraceno) sin tostar. Para darle más sabor, puede agregar dos cucharadas de jugo de fruta o usar la mantequilla descrita abajo.

Mejore su mantequilla. Revuelva ½ taza (120 ml) de aceite de *canola* (busque uno que diga en la etiqueta "*cold pressed*" o prensado en frío) en un plato con 8 onzas (224 g) de mantequilla derretida o por lo menos

enfermedades con un componente inflamatorio que se mejoran con la alimentación".

"En los últimos años, ha habido investigaciones que han descubierto que la artritis se puede tratar con alimentos. Cuando los pacientes siguen un régimen vegetariano de poco contenido de grasa y se alejan de los productos lácteos, en muchos casos su artritis entra en remisión completa", dice el Dr. Barnard. "Y aunque nosotros siempre hemos usado la alimentación como tratamiento para la diabetes de Tipo II (no dependiente de insulina), aparentemente la diabetes de Tipo I (dependiente de insulina) es causada por lo menos en parte por la exposición a proteínas lácteas durante la infancia".

suavizada y refrigere. Use aproximadamente 1 cucharadita por comida para condimentar y no exceda las 3 cucharaditas al día.

Almuerzo. Cómase un tazón lleno (hasta cuatro tazas) de verduras cocidas al vapor, como papas, batatas dulces (camotes, *sweet potatoes*), habichuelas verdes (ejotes, *green beans*), brócoli, col rizada, coliflor, zanahorias, remolachas (betabeles), espárragos, repollo (col) y otros. Coma varios tipos de verduras e incluya sus tallos, raíces y hojas. También puede usar la mantequilla "mejorada" ya descrita. Luego refrigere el agua de las verduras para usarla más tarde.

Dentro de 2 horas, beba lentamente una o dos tazas del agua de las verduras cocidas y mezcle cada bocado con saliva. Puede agregar un poco de sal o *kelp* para mejorar el sabor.

Cena. Lo mismo que el almuerzo, con una variedad de verduras.

Después de la cena. Ninguna comida, pero puede beber infusiones de hierbas sin cafeína tales como menta (hierbabuena), manzanilla o mezclas.

A lo largo del día puede satisfacer el hambre si bebe bastante agua y come zanahorias o apio. Si se siente muy cansada o si el hambre persiste, entonces puede agregar hasta 4 onzas (112 g) de proteínas, por ejemplo pescado, pollo orgánico, lentejas, garbanzos o frijoles negros. Lo óptimo sería comer esto por la tarde, entre las 3:00 y las 4:00.

Unos micronutrientes potentes

Esto no quiere decir que usted debe convertirse en una vegetariana por completo para prevenir y tratar enfermedades (aunque muchos profesionales de la salud ciertamente lo recomiendan). Pero la mayoría de los expertos recomiendan que usted coma más como si lo fuera. El Instituto Nacional de Cáncer en Rockville, Maryland, ha invertido aproximadamente un millón de dólares al año en campañas públicas destinadas a que la gente coma más frutas y verduras.

¿Por qué? Porque la mayoría de estos alimentos de plantas —frutas, verduras y legumbres— son densamente nutritivos, lo cual significa que son extremadamente bajos en grasa y ricos en fibra y nutrientes clave para ayudar a protegerse de enfermedades y tratarlas. Además, las frutas y las verduras ofrecen una recompensa nutritiva adicional.

"Aunque usted podría obtener los elementos nutritivos que necesita de los suplementos vitamínicos, la ventaja de obtenerlos de las frutas y verduras es que usted también obtiene otros micronutrientes que no puede obtener de una pastilla: oligominerales y otros compuestos que se cree juegan un papel clave en la protección contra ciertas enfermedades y posiblemente hasta ayuden a curarlas", dice Barbara Klein, Ph.D., profesora de Alimentos y Nutrición en la Universidad de Illinois en Urbana-Champaign.

Entre estos compuestos están los fitoquímicos, que son sustancias químicas naturales que se encuentran en todas las plantas —pero no en la mayoría de los suplementos vitamínicos— que las pueden proteger de estímulos que les causan estrés, como la luz del Sol, las enfermedades y el riesgo de ser comidas por los animales. Los investigadores piensan que la protección que ofrecen no está limitada a las plantas.

"Recién nos estamos asomando al conocimiento de los fitoquímicos, pero lo que estamos aprendiendo es fascinante", según la Dra. Klein. "Parece que estos micronutrientes pueden ser el verdadero secreto para mantenerse sano".

La mayoría de los estudios indican que estos fitoquímicos protegen contra una variedad de tipos de cáncer, particularmente aquellos que afectan los órganos del cuerpo, entre ellos pulmones, vejiga, cérvix, colon, estómago, recto, laringe y páncreas, dice Herbert F. Pierson, Ph.D., vicepresidente de Investigación y Desarrollo de Consultores de Nutrición Preventiva en Woodenville, Washington. Investigadores en la Facultad de Medicina de la Universidad Johns Hopkins en Baltimore han llegado a la conclusión de que un fitoquímico encontrado en el brócoli, el sulforafano, aparentemente ayuda a proteger contra el cáncer de mama en estudios con animales. Otro equipo de investigación descubrió que los animales expuestos a tabaco cancerígeno son 50 por ciento menos propensos a desarrollar cáncer del pulmón cuando se alimentan con una dieta rica en berro, en comparación con aquellos que no comieron esta verdura.

Estos fitoquímicos detienen el cáncer de distintas formas. Si come un pedazo de naranja (china) o algunas fresas, usted consumirá flavonoides que impiden que las hormonas cancerígenas se adhieran a las células, dice el Dr. Pierson. Si come pimiento (pimiento morrón, ají) verde o piña (ananá), consumirá ácidos *p-courmaric* y clorogénico, sustancias que impiden la formación de células cancerosas. Si come una rebanada de tomate (jitomate), recibirá cientos de diferentes fitoquímicos, la mayoría de los cuales parecen jugar algún papel en la detención de tumores antes de que se formen. Para reducir aún más el riesgo de cáncer causado por oxidación, los expertos recomiendan lavar bien y hasta pelar todas las frutas y verduras antes de comerlas para evitar la ingestión de pesticidas.

El comer bien y la inmunidad

Otro beneficio que brindan las frutas y verduras es que están entre las mejores fuentes de nutrientes necesarios para un sistema inmunitario fuerte. Este sistema es nuestra defensa contra las enfermedades y ayuda a nuestro cuerpo a prevenir y combatir los gérmenes que causan los resfriados (catarros) y otros virus, más las infecciones e inclusive enfermedades como el cáncer.

"Cuando uno de mis pacientes padece neumonía, yo le puedo dar antibióticos", dice el Dr. Klaper. "Pero después digo: '¿Por qué contrajo neumonía? ¿Qué está haciendo con su sistema inmunitario?' La gente sana no contrae neumonía. Los problemas de inmunidad están frecuentemente relacionados con la manera en que alguien se alimenta".

Es por esto que una buena alimentación se vuelve aún más importante conforme envejecemos, ya que la inmunidad naturalmente tiende a debilitarse con el paso del tiempo. A los 50 y 60 años, sus células combatientes de infecciones no funcionan tan bien y la ponen a usted en mayor riesgo de infección y cáncer, dice Ronald Watson, Ph.D., profesor investigador y especialista en Nutrición e Inmunología en la Facultad de Medicina de la Universidad de Arizona en Tucson.

Pero si usted se alimenta bien, su sistema inmunitario se mantendrá fuerte sin importar la edad. Para la mayoría de los expertos, eso significa que todas debemos tener una alimentación rica en los llamados nutrientes antioxidantes, las vitaminas y minerales que nos ayudan a protegernos del daño causado por la oxidación.

Cuando una manzana fresca ha sido picada a la mitad, el interior se vuelve marrón. Eso es oxidación, el proceso de deterioro que ocurre como consecuencia de la exposición al oxígeno. Nuestros cuerpos necesitan oxígeno para mantenerse vivos, pero demasiado oxígeno causa un daño severo a las células. Y en la sociedad de hoy, donde el aire que respiramos también contiene humo de cigarrillos, gases de escape de automóviles, radiaciones y otros agentes contaminantes peligrosos, y el agua que bebemos tiene cloro oxidante, la oxidación conduce al

SENSIBILIDAD A LAS COMIDAS: COMIDAS "SANAS" QUE ENFERMAN

Un vaso de jugo de naranja, pan tostado de trigo integral y yogur bajo en grasa con un plátano amarillo (guineo) encima. Parece como un desayuno perfectamente saludable, ¿verdad?

Quizá no, de acuerdo con el Dr. David Edelberg, internista y director médico del Centro Holístico Estadounidense en Chicago. Edelberg dice que millones de estadounidenses son "sensibles" a estos y otros alimentos comunes y que estas sensibilidades pueden causar o complicar todo tipo de problemas de salud. "Muchos de los problemas comunes que se tratan en el consultorio médico tienen un componente de sensibilidad a los alimentos", explica.

Afortunadamente, dice el Dr. Edelberg, la lista de alimentos e ingredientes que causan la mayoría de las sensibilidades no es muy extensa. La lista incluye: productos lácteos; huevos y derivados, frutas cítricas, productos de trigo; plátanos amarillos; frijoles (habichuelas) colorados, habas blancas y habichuelas verdes (habichuelas tiernas, ejotes, *green beans*); sustancias químicas en comidas procesadas y cualquier alimento que usted coma más de tres veces a la semana.

envejecimiento prematuro y debilita la inmunidad. Se piensa que las arrugas, las cataratas, la artritis y otras enfermedades, inclusive el cáncer y las enfermedades del corazón, son todas causadas en parte como resultado de este proceso de oxidación.

"Cuando la gente habla de antioxidantes, generalmente se están refiriendo a vitaminas A y E, betacaroteno y selenio", dice Judith S. Stern, R.D., Sc.D., profesora de Nutrición y Medicina Interna en la Universidad de California en Davis. "Pero lo que estamos aprendiendo es que hay cientos de otras propiedades en los alimentos que también tienen cualidades antioxidantes. Algunos son los fitoquímicos, pero también hay otros carotenoides como la betacaroteno y otras sustancias que no conocemos".

Para descubrir si es sensible a estos alimentos o componentes, usted necesita eliminarlos de su alimentación por un mes. (Vale la pena el esfuerzo, dice el Dr. Edelberg, porque puede darse cuenta de que se siente realmente bien por primera vez en años).

Si al final del mes su problema de salud sigue igual, entonces usted no es sensible a ningún alimento y puede volver a su alimentación normal. Pero si se siente mejor, necesita descubrir cuál de las comidas o los ingredientes que eliminó están causando su problema.

Para hacer esto, usted necesita empezar a comer las comidas que eliminó, pero solamente un grupo de comida por semana. Entonces digamos que usted decida empezar a comer lácteos la primera semana. Si los síntomas vuelven en cualquier momento durante esa semana —aun tanto como dos o tres días después de comer el producto lácteo— ¡felicitaciones! Usted ha detectado cuál es su sensibilidad. Si los síntomas no vuelven, empiece a comer otra comida u otro grupo de alimentos la semana siguiente, por ejemplo, huevos y sus derivados. Volvemos y le repetimos, esté alerta a la aparición de sus síntomas.

Lo que les falta a los suplementos

A pesar de no conocer algunas de estas sustancias, los expertos sí saben que algunos de estos elementos —fitoquímicos, carotenoides y algunos micronutrientes— no están presentes en los suplementos. "Mientras más cerca está algo de su estado natural, mejor es", dice el Dr. Haas. "Las vitaminas y minerales están en su estado natural en los alimentos, no en los suplementos".

"Lo que es irónico es que la gente escucha acerca de los estudios que muestran que la vitamina C ayuda con esto y la betacaroteno protege contra aquello, entonces corren a la tienda y compran un frasco de suplementos vitamínicos y piensan que los va a ayudar", dice la Dra. Stern. "En realidad, todos estos estudios se realizan con frutas y verduras, de manera que el beneficio puede no ser solamente de ese nutriente en particular sino de todos los otros componentes del alimento".

Entre esos compuestos están otros nutrientes que también juegan un papel clave en aumentar la inmunidad, aunque no tienen tanta publicidad como los antioxidantes. "Usted escucha mucho acerca de las vitaminas antioxidantes, pero estas son solamente una parte de la historia", dice Terry M. Phillips, Ph.D., D.Sc., director del laboratorio inmunoquímico en la Escuela de Medicina y Ciencias de Salud de la Universidad George Washington en Washington, D. C. "Hay otros nutrientes que pueden ser tan importantes —o aun más importantes— en mantener la inmunidad fuerte". Entre ellos están la vitamina B_6, el cinc, el folato, el magnesio y el cobre.

Cuando usted le mete el diente a una zanahoria, un mango o al brócoli, obtiene una gran fuente de vitaminas antioxidantes como algunos otros nutrientes clave y otros elementos buenos, también, entre ellos fibra, ácidos transgrasos esenciales "buenos" e incluso proteínas y calcio.

"A fin de cuentas", dice la Dra. Stern, "puede ser más fácil tomar vitaminas. Pero si usted está realmente preocupado por su salud, hay una sola cosa que debe hacer: usted debe comer bien".

(*Nota:* Para conseguir los remedios naturales recomendados en este capítulo, consulte la lista de tiendas en la página 170).

Aromatoterapia

La salud delante de sus propias narices

A diario percibimos docenas de olores, algunos que son agradables como la colonia (loción) de nuestro esposo y otros que son feos como una comida podrida que descubrimos al limpiar la nevera (refrigerador). Son parte de nuestra vida pero nunca les hacemos mucho caso, en particular con respecto a salud. Sin embargo, aunque parece mentira, algo tan sencillo como el aroma de lavanda (espliego, alhucema, *lavender*) puede ser un remedio poderoso. No sólo la lavanda, según ciertos estudios, algunos aromas pueden afectar nuestra salud de una manera impresionante. El uso de estas aromas se llama la aromatoterapia, un sistema de cuidado para el cuerpo que utiliza aceites botánicos tales como rosa, limón, lavanda y menta. Sea cual sea la forma en que se usen, agregándolos a un baño, masajeándolos en la piel, inhalándolos directamente o difuminándolos para aromatizar una habitación entera, estos aceites naturales y aromáticos se han estado usando durante alrededor de mil años para aliviar el dolor, cuidar la piel, liberar tensiones y fatiga y dar vigor a todo el cuerpo.

La historia de la aromatoterapia

Si bien nadie la llamó aromatoterapia hasta finales de la década de los años 20, las plantas aromáticas han jugado un papel importante en el mantenimiento de la salud durante muchos miles de años. "La civilización del Egipto antiguo era muy fragante", dice John Steele, un consultor de aromatoterapia de Los Ángeles, California. "Ellos infundían aceites fragantes para masajes, baños y medicina, quemaban incienso en ceremonias religiosas y usaban aceite aromático de cedro para embalsamar a sus muertos".

Pero no fue hasta el siglo XI de la era cristiana que los curanderos europeos empezaron a trabajar con aceites esenciales, que son líquidos potentes y altamente volátiles extraídos de plantas, exprimidos o destilados. Un aceite esencial es la forma más concentrada y terapéutica de la planta y no es grasoso como el aceite mineral. En textura es más como el agua, porque se evapora rápidamente y penetra la piel fácilmente.

Los aceites esenciales fueron introducidos en Europa por los cruzados que regresaban del Oriente. Valorados por sus propiedades antisépticas, estos aceites se quemaban en hogares y edificios públicos durante la peste bubónica para tratar de evitar que la enfermedad siguiera propagándose. Según una leyenda popular, los fabricantes de guantes, que usaban aceites esenciales en su artesanía, disfrutaban de protección especial contra la peste.

Eclipsada por el desarrollo de medicamentos sintéticos a fines del siglo XIX y comienzos del siglo XX, la tradición de curación con aceites esenciales se revivió en las décadas de los años 20 y los 30 por René-Maurice Gattefossé, un químico francés que acuñó el término *aromatoterapia.*

Pero si bien la aromatoterapia ha sido popular en Europa por tantos años —los aceites esenciales están disponibles en muchas farmacias francesas, y los farmacéuticos generalmente están entrenados en su uso— no fue hasta finales de la década de los 80 que los estadounidenses empezaron a descubrir esta fragante medicina. "Cuando escribí un libro sobre las hierbas medicinales y otras terapias naturales en 1969, mis editores sacaron 'aromatoterapia' del índice de términos porque nadie sabía lo que la palabra quería decir", dice Jeanne Rose, una herbolaria de San Francisco, California.

Treinta y dos años después, "aromatoterapia" todavía no es una palabra muy conocida, pero los aceites esenciales han sido descubiertos por compañías líderes de cosméticos tales como Estée Lauder y Body Shop, y las cremas y aceites de aromatoterapia se exhiben en todas partes, desde los departamentos de cosméticos en las grandes tiendas hasta el *Home Shopping Network*, una compañía que vende productos por televisión.

"La gente está sintiendo la necesidad de tomar el cuidado de su salud en sus propias manos", dice Judith Jackson, una aromatoterapeuta de Greenwich, Connecticut. "Está buscando formas para ayudarse a sí misma que sean naturales y sin efectos secundarios. Y si el tratamiento tiene también un elemento de placer, mucho mejor".

El poder de oler

Los aceites esenciales trabajan sobre el cuerpo en varios niveles diferentes. El más obvio es el de estimular el poderoso, pero poco entendido, sentido del olfato.

En años recientes, la investigación médica ha descubierto lo que los aromatoterapeutas han sabido siempre: que los olores que percibimos tienen un impacto significante en cómo nos sentimos.

"Los olores actúan directamente sobre el cerebro como una droga", dice el Dr. Alan Hirsch, un neurólogo y director del Centro de Investigación y Tratamiento del Gusto y el Olfato en Chicago.

Al tratar pacientes que han perdido el sentido del olfato, el Dr.

ALGUNAS PRECAUCIONES

Cuando se usan prudentemente, los aceites esenciales son menos propensos a causar efectos secundarios que la mayoría de los medicamentos de venta libre. Pero los expertos todavía aconsejan que usted debe ser cautelosa. En general, las mujeres con piel muy blanca o pecosa son más propensas a experimentar irritación de la piel como consecuencia de los aceites esenciales, dice John Steele, un consultor de aromatoterapia de Los Ángeles, California. Él aconseja a todas las que usen estos aceites por primera vez que hagan una prueba sencilla en la piel para evitar reacciones alérgicas: coloque una gota del aceite en un trapo de algodón y aplíquelo en el lado de adentro de la muñeca o el codo. Cubra el área con una venda y no la lave por 24 horas. Si la piel no enrojece y si no se producen picazones, significa que el aceite deberá de ser seguro para uso externo.

Las mujeres embarazadas deben tomar precauciones especiales al usar aceites esenciales. Los aceites esenciales de cálamo, artemisa (altamisa, *mugwort*), poleo, salvia y gaulteria (*wintergreen*) pueden inducir un aborto espontáneo cuando se ingieren, pero aun la inhalación o aplicación externa se desaconsejan. Los aceites de albahaca, hisopo, mirra, mejorana y tomillo también pueden causar reacciones adversas; por tanto, se debe evitar su uso.

El aceite de melaleuca (*tea tree*) es seguro para usar en gotas, pero nunca se debe ingerir. Cantidades tan pequeñas como 1 cucharadita pueden ser mortales si se tragan.

Hirsch ha descubierto que una vida sin fragancias suele llevar a una alta incidencia de problemas psiquiátricos tales como ansiedad y depresión.

Y aunque la mayoría de las personas deprimidas o estresadas pueden oler perfectamente bien, el Dr. Hirsch cree que sus estados emocionales también están afectados por los olores que están o no están percibiendo.

Investigaciones científicas confirman la noción de que percibir olores particulares tiene un efecto directo en la actividad del cerebro. “Sabemos a través de estudios de ondas de frecuencia del cerebro que oler

ACEITES ESENCIALES PARA PRINCIPIANTES

No se desanime ante la confusión que produce ver la gran cantidad de aceites esenciales diferentes que ofrecen los distribuidores. Usted puede empezar a explorar los beneficios de la aromatoterapia en su casa con solamente un puñado de aceites económicos, dice el aromatoterapeuta angelino Michael Scholes de Aromatherapy Seminars, una organización que entrena a profesionales y otros en el uso de aceites esenciales. Scholes recomienda los siguientes seis aceites por su seguridad, versatilidad y valor.

Aceites cítricos. Muy buenos para disipar el mal humor. Los aceites cítricos funcionan bien en un difusor y crean una atmósfera brillante y positiva, dice Scholes. Los aceites de limón, limón verde (lima), naranja y toronja (pomelo) se pueden adquirir por precios de $3 a $5 por 5 mililitros, dice el consultor de aromatoterapia John Steele, mientras que el de mandarina se vende por aproximadamente $5 o $6.

Aceites florales. Estos son los mejores para el alivio del estrés, según Scholes. "Estéticamente, casi todas las personas encuentran las flores sumamente atractivas". Él sugiere que se agreguen flores a las lociones y aceites de baño sin aroma o que se mezclen con aceites portadores para darse un masaje tranquilizante. Aunque aceites florales raros y preciosos como los de rosa y jazmín pueden ser caros —una botella muy pequeña de ⅓ onzas (10 ml) de aceite de rosas importado de Turquía puede costar más de $175, por ejemplo— la misma cantidad de geranio, que huele bastante como la rosa, cuesta solamente $10.

lavanda aumenta las ondas alfa en la parte posterior de la cabeza, lo cual está asociado con el relajamiento", dice el Dr. Hirsch. "Un olor tal como el de jazmín aumenta las ondas beta en la parte frontal de la cabeza, lo cual está asociado con un estado más alerta".

Ya que la mayoría de la gente puede detectar muchos olores diferentes, los usos terapéuticos potenciales del aroma parecen ser interminables. Los expertos dicen que inhalar aceites esenciales puede ayudar con afecciones vinculadas a tensión nerviosa, entre ellas dolores de cabeza,

Melaleuca (*tea tree*). Un antiséptico versátil y muy suave para la piel. Scholes sugiere que se aplique una sola gota directamente en la piel para acelerar la curación de cortaduras y granos (barros). Precio promedio: $5 por 5 mililitros.

Lavanda (espliego, alhucema, *lavender*). "Si hay un aceite del cual ningún hogar debería prescindir, es el de la lavanda", dice Scholes. Es un excelente aceite de primeros auxilios, sana las cortadas, los cardenales (moretones) y las picaduras de insecto y también se puede agregar a su aceite regular de baño para una experiencia relajante que alivia el estrés. Precio promedio: de $5 a $6.50 por una botella de 5 mililitros.

Menta (hierbabuena). Este es un estimulante mental muy bueno, dice Scholes, quien recomienda agregar una gota a una loción facial sin aroma y aplicar la loción debajo de la nariz y detrás de las orejas. La menta también puede entonarle el estómago: agregue una gota, mezclada con una cucharadita de miel, a una taza de infusión herbaria para aliviar molestias intestinales, sugiere Scholes. (La miel se agrega para ayudar a dispersar el aceite esencial rápidamente en el agua). Precio promedio: $5 por 5 mililitros.

Romero. Un aceite vigorizante para días de poca energía. Funciona bien en una lámpara de aroma o en un difusor, dice Scholes. "Usted también puede inhalarlo directamente de la botella", agrega. Precio promedio: de $3 a $4 por 5 mililitros.

insomnio y ansiedad. Las inhalaciones se usan también para tratar molestias respiratorias tales como resfriados (catarros), alergias y bronquitis.

Experimentar el poder que tiene el aroma para mejorar su estado de ánimo puede ser tan simple como agregar varias gotas de aceite esencial a su baño o colocar un par de gotas de aceite esencial en un anillo aromático, el cual se coloca sobre un bombillo (foco) caliente. Una forma de aromatizar una habitación de manera más duradera es con una lámpara de aroma, una maceta o platillo de porcelana o arcilla donde se mezclan aceites esenciales con agua y se calientan sobre una vela, o un difusor aromático eléctrico, que reduce los aceites esenciales a una rociada fina y dispersa el aroma por toda la habitación. Estos se venden en algunas tiendas de productos naturales y por correspondencia.

Más allá de las narices

Pero la fragancia no es el único modo en que los aceites esenciales trabajan sobre el cuerpo. "'Aromatoterapia' es en realidad un nombre muy impreciso", dice Galina Lisin, una aromatoterapeuta de Hayward, California. "Los aceites esenciales nunca se han usado en perfumes. Son medicinas y la inhalación es solamente una de las muchas formas en que se pueden usar".

Los aceites esenciales son también efectivos cuando se usan en forma tópica como medicamentos externos. "A diferencia de los aceites minerales, que simplemente se quedan en la piel, los aceites esenciales están hechos de moléculas muy pequeñas que en realidad penetran el sistema sanguíneo a través de la piel", dice Steele.

La aplicación externa se usa para tratar una gama amplia de problemas de la piel y las esencias son componentes populares en los productos del cuidado de la piel y otros cosméticos. Incluso aceites esenciales suaves como la lavanda se pueden aplicar con toda su intensidad, o en forma moderada, para tratar cortadas, quemaduras, dolores de cabeza y otras afecciones sencillas.

"Para personas no profesionales, no hay muchos aceites esenciales que recomendaría usar solos en la piel", dice Steele. "Incluso un aromatoterapeuta entrenado no puede siempre adivinar quién va a tener una reacción alérgica a un aceite esencial, de manera que usarlos diluidos aporta una medida adicional de seguridad". Si bien un aceite esencial diluido en un aceite portador es absorbido en la piel más lentamente, muchos expertos prefieren este método porque tiende a prevenir irritaciones en la piel. "Una regla es que más no es siempre mejor con los aceites esenciales", agrega Steele.

Otro uso externo de los aceites esenciales es el masaje de aromatoterapia. Cuando se les agrega a aceites tradicionales de masaje como los de almendra, oliva y sésamo (ajonjolí), los aceites esenciales realzan los beneficios del masaje, alivian el estrés, mejoran la circulación y crean una sensación de bienestar.

Aunque los médicos europeos también los administran oralmente, en supositorios e inclusive a través de la piel (como con un parche), los

MASAJES MAGNÍFICOS

Muchos terapeutas de masajes, balnearios y salones de belleza ofrecen masajes de aromatoterapia, y con razón. Según las personas quienes los han recibido, estos masajes son divinos.

Mientras que las manos de la terapeuta trabajan rítmicamente sobre su espalda, cuello y hombros, desaparecen todos sus dolores y achaques. Entonces, sus manos le llegarán a la cara, borrando toda la tensión del día. Finalmente, le llegarán hasta los pies, literalmente relajándola de la cabeza hasta los pies.

Si decide hacer un turno con un terapeuta de masajes, planee quedarse una hora o más y use ropa vieja, ya que su ropa puede mancharse de los aceites cuando se vista después del masaje.

Durante el masaje le colocarán sábanas suaves y se acostará en una mesa acolchada mientras que le masajean.

"Antes de masajear un cliente, yo le pregunto detalladamente sobre sus antecedentes médicos y sobre las partes de su cuerpo en las cuales quiere que trabaje", dice Margot Latimer, una terapeuta de masajes de Doylestown, Pensilvania.

Latimer dice que el estrés, los achaques y otros problemas no son problemas, sino proyectos, y explica que estos "proyectos" pueden ser aliviados con la combinación adecuada de aceites esenciales y el poder curativo del tacto. Después de una entrevista con el cliente que dura entre 20 y 30 minutos, Latimer registra su caja de aceites y elige no más de cuatro que ella determina como los más efectivos para el problema del cliente. Antes de agregar estos aceites al aceite de base, tal vez le dará unas cuantas opciones. "Es muy importante que al cliente le gusten los aceites que usemos", dice Latimer.

expertos recomiendan que se consulte a un aromatoterapeuta con preparación médica antes de tomar cualquier aceite internamente. Steele también sugiere aprender más sobre los aceites esenciales antes de usarlos, ya que algunos no son recomendables para ciertas afecciones. (Para mayor información sobre cómo usar aceites esenciales con seguridad, vea "Algunas precauciones" en la página 27).

Cómo usar la aromatoterapia

Para explorar el poder curativo de la aromatoterapia, empiece en la tienda de productos naturales más cercana a su hogar. Los aceites esenciales varían ampliamente en precio y calidad: un frasco de ½ onza (15 ml) de aceite de lavanda, por ejemplo, puede costarle tan poco como $7 o tanto como $15, de acuerdo a su pureza y en dónde es producido. Los aceites de cuidado doméstico más populares se venden a precios de $5 a $16 por botella de 5 mililitros, dice Steele, pero porque los aceites esenciales vienen altamente concentrados, una cantidad pequeña puede durar meses con el uso normal.

Experimentar con la aromatoterapia no debería costar una fortuna. Si invierte en unos pocos aceites esenciales versátiles y económicos, usted podrá probar muchos de los remedios en este libro y explorar masajes básicos de aromatoterapia. (Vea "Aceites esenciales para principiantes" en la página 28).

Ya que muchos de los usos requieren que los aceites esenciales se mezclen con otros ingredientes, usted también necesitará algunas botellas de vidrio o de plástico duro para guardar allí las mezclas. Por el hecho de que la luz puede dañarlos, los expertos recomiendan que se usen botellas de vidrio con tinte y que se guarden en un lugar fresco y oscuro. Las tiendas que venden aceites esenciales generalmente venden estas botellas y también lo hacen muchas de las compañías que venden estos productos por correspondencia.

Finalmente, esté usted seriamente decidida a aprender más sobre aromatoterapia o esté usted simplemente disfrutando de descubrir nuevas fragancias, los expertos dicen que un difusor para el hogar es una gran inversión. "Hace cinco años no se podía comprar un buen difusor por menos de $150", dice Rose. "Pero el mercado es más competitivo cada día y el precio de los difusores ahora está al alcance del estadounidense común". Rose usa un difusor eléctrico de $40 de Phybiosis, una compañía en Maryland que vende estos productos por correspondencia. "El difusor es imprescindible para tratamientos respiratorios", dice Rose, quien padece de asma. "¡Y se convierte en un despertador! Yo hago funcionar el mío con un cronómetro, de manera que me pueda despertar con el aroma que me guste".

(*Nota:* Para conseguir los remedios naturales recomendados en este capítulo, consulte la lista de tiendas en la página 170).

HIERBAS

Cómo aprovechar la farmacia natural

Si alguna vez ha tomado una aspirina, usted ha tomado un fármaco derivado de una hierba. Si alguna vez ha tomado uno de esos descongestionantes orales que no le dan sueño, usted ha tomado un medicamento derivado de una hierba.

"En el pasado, casi todas las medicinas eran hierbas", dice Varro E. Tyler, Ph.D., profesor de Farmacognosia (el estudio de los fármacos derivados de fuentes naturales) en la Universidad de Purdue en West Lafayette, Indiana. Igual que la aspirina y esos descongestionantes, muchas de las medicinas modernas son derivados sintéticos de hierbas. El componente principal de la aspirina es el ácido acetilsalicílico, el cual es extraído de la corteza de los sauces. Esos descongestionantes orales contienen seudoefedrina, que se extrae de la planta efedra (belcho). En realidad, por lo menos un cuarto de todos los fármacos que los médicos recetan contienen componentes activos derivados o sintetizados de plantas medicinales, dice Norman R. Farnsworth, Ph.D., director del Programa de Investigación Colaborativa en la Escuela de Farmacología de la Universidad de Illinois en Chicago.

¿Cómo descubrió el hombre primitivo que las plantas tenían propiedades medicinales? Lo más probable es que los primeros "herbolarios" observaron a los animales y se fijaron en cuáles plantas comían cuando no se sentían bien. Probaron esas plantas y también descubrieron, a través de ensayo y error, cuáles sanaban y cuáles eran nocivas. Cuando alguien se sentía mejor después de comer ciertas flores, otros las probaban. Si alguien sufría un sarpullido después de masticar ciertas raíces, el resto se mantenía alejado de ellas. Con el tiempo, el hombre primitivo encontró plantas que lo ayudaron a dormir, plantas que lo ayudaron a mantenerse despierto, plantas que curaban los dolores de estómago y plantas que aliviaban la piel quemada por el sol.

La historia de las hierbas

A través de los años, esos descubrimientos primitivos se sistematizaron en Roma, Grecia, Egipto y China durante la antigüedad. En el Egipto antiguo, por ejemplo, existía el papiro *Ebers*, un texto para médicos. Sus remedios incluían áloe vera (sábila, acíbar) para cortadas y quemaduras y menta para asistir la digestión, remedios que todavía se usan.

Esta tradición de hierbas curativas continuó por siglos, hasta el comienzo de la ciencia moderna y el conocimiento de la química. Ya para aquel tiempo, científicos y médicos podían aislar el componente activo de una hierba y producir una medicina más potente y de acción más rápida. En 1806, un farmacéutico aprendiz alemán aisló un principio activo de la planta del opio, un alcaloide que llamó morfina. Los científicos pronto aislaron otras sustancias químicas: la quinina antimalárica de la corteza *Cinchona orperuvian*, la atropina antiespasmódica de las hojas de la belladona, la cocaína anestésica de las hojas de coca y el medicamento cardíaco digitoxina de las hojas moradas de la dedalera (digital).

Hacia fines del siglo XIX, los médicos empezaron a ver los remedios a base de hierbas como algo anticuado. ¿Y por qué no? Las dosis de medicina se estandarizaron en fármacos sintetizados. En cambio, con las hierbas, determinar la dosis adecuada no era un proceso preciso. Pero aun cuando los productos farmacéuticos sintéticos empezaron a dominar la medicina, algunos profesionales siguieron administrando remedios a base de hierbas: homeópatas, osteópatas, quiroprácticos e hidroterapeutas así como los "eclécticos", un grupo de estadounidenses que combinaron las tradiciones herbarias europeas con las de las indígenas norteamericanas.

Con el descubrimiento de la penicilina en 1928 comenzó la era de las "medicinas milagrosas". La hormona cortisona fue aislada en 1930. Los antibióticos estreptomicina y *Aureomycin*, una marca de clorotetraciclina, se produjeron en 1943 y 1945, respectivamente. La industria de los productos farmaceúticos se convirtió en un negocio multinacional y multimillionario. No obstante, con los fármacos más poderosos aparecieron problemas igualmente poderosos: los efectos secundarios. (Los más dramáticos y atroces fueron los defectos de nacimiento creados por la *thalidomide*, una pastilla soporífera usada en los años 60 por mujeres embarazadas). Así que si bien los medicamentos sintéticos eran la norma, muchos médicos (y pacientes) empezaron a inclinarse a usar medicinas más suaves y naturales como las hierbas.

¿Por qué ha surgido el uso de las hierbas?

¿Por qué la gente prueba la terapia de hierbas? Una razón, dice Robert McCaleb, presidente de la Fundación de Investigación de Hierbas, una organización educativa y de investigación en Boulder, Colorado, es que la gente quiere prevenir las enfermedades y cuidarse a sí mismos debido a los costos crecientes de la atención médica. "Para la gente que goza de buena salud, los remedios a base de hierbas ofrecen la oportunidad de mantenerse sano", dice McCaleb.

Tomar cápsulas de *ginseng*, por ejemplo, puede ayudar a las mujeres a mantenerse mentalmente alertas cuando están enfrentándose al estrés del

GUÍA PARA IR DE COMPRAS

Cuando vaya a una tienda de productos naturales, usted verá que los productos a base de hierbas se venden en una variedad de formas. La siguiente es una guía rápida para el consumidor sobre los diferentes tipos de remedios herbarios.

Cápsulas y tabletas. Tragar una tableta es probablemente la forma más fácil de tomar cualquier medicina, pero muchos herbolarios prefieren las tinturas y las infusiones porque piensan que de esta forma los componentes activos de las hierbas se liberan más rápida y eficientemente.

Extractos y tinturas (*tinctures*). Hablando estrictamente, los extractos son más fuertes y concentrados que las tinturas. Pero hoy estos términos se usan generalmente en forma indistinta. Para hacerlos, las hierbas frescas se remojan durante días o semanas en alcohol con cantidades variadas de agua. (Actualmente algunos brebajes que usan glicerina y agua como solventes están disponibles). La mezcla se agita regularmente, se cuela y se embotella para su uso. Los extractos y las tinturas se toman de dos a tres veces por día como un número específico de gotas mezcladas en un poco de agua.

Pomadas y cremas. Estos productos herbarios son preparados para uso externo. Úselos según las instrucciones en la etiqueta.

Infusiones. Una de las formas más fáciles de usar hierbas, frescas o secas, es hacer una infusión. Cuando use las hojas o flores de una planta, vierta una taza de agua hirviendo sobre una cucharada de las hojas sueltas y déjelas reposar durante aproximadamente 10 minutos, después cuele la mezcla. Si usa raíces, semillas, corteza u hojas duras, écheles agua fría y hiérvalas a fuego lento durante 10 minutos, luego cuélelas. Si lo desea, endulce la infusión con miel.

HIERBAS PELIGROSAS

Algunas personas creen que todos los productos herbarios son seguros. Desgraciadamente, no es así. A pesar de que esta no es una lista completa de plantas que no son seguras, las que se mencionan aquí merecen atención especial.

Las siguientes hierbas son peligrosas y no se deben usar como remedios.

Planta	**Peligro Potencial**
Borraja	Perjudicial en dosis grandes; puede causar cáncer y daño al hígado
Carmín (*pokeweed*)	Puede causar parálisis respiratoria y convulsiones
Chaparro (gobernadora)	Puede causar enfermedades; está prohibido en los Estados Unidos
Consuelda	Puede causar cáncer y daño al hígado (pero no a través de uso externo)
Dedalera (digital)	Potente toxina del corazón
Fárfara (tusílago)	Puede causar cáncer
Poleo	En dosis grandes, el aceite esencial de esta planta puede causar convulsiones; es posiblemente nocivo para mujeres embarazadas

trabajo, dice el Dr. Tyler. Y tomar una taza de infusión de toronjil (melisa), un sedante natural, puede aliviar el estrés, dice la naturópata Mary Bove, L.M., N.D., directora de la Clínica Naturopática de Brattleboro en Vermont.

Los cardenales (moretones), inflamaciones, torceduras (esguinces), cortadas, resfriados (catarros), fiebres, quemaduras menores y sarpullidos, responden bien a los tratamientos a base de hierbas, dice la Dra. Cynthia Mervis Watson, una doctora de medicina familiar de Santa Mónica, California. También hay terapias de hierbas que son efectivas para los problemas reproductivos de las mujeres, entre ellos el síndrome premenstrual, la infertilidad, los períodos irregulares, los dolores menstruales, los síntomas de menopausia y las infecciones vaginales, apunta.

Retame (hiniesta)	Tóxico; diurético
Ruda	Puede hacer la piel más susceptible a los efectos perjudiciales del sol
Sasafrás	Puede causar cáncer

Las siguientes hierbas son potencialmente peligrosas y se deben usar con precaución.

Planta	**Peligro Potencial**
Áloe vera (sábila, acíbar)	El jugo puede ser un laxante poderoso cuando se usa internamente (los gels para uso interno no tienen este efecto)
Efedra (belcho)	No la deben usar personas con problemas cardíacos, presión arterial alta, diabetes o enfermedades de la tiroides
Enebro (nebrina, tascate)	No la deben usar mujeres embarazadas o personas con enfermedades del riñón
Regaliz (orozuz)	Cantidades excesivas pueden causar retención de líquidos y presión arterial alta
Yohimbé	Los efectos secundarios incluyen náuseas, vómitos, presión arterial alta, palpitaciones, insomnio y temblores

Los remedios a base de hierbas forman una fuerte línea frontal de defensa contra resfriados, gripes y otras enfermedades infecciosas. A diferencia de los antibióticos, las hierbas se pueden usar para tratar tanto infecciones bacterianas como infecciones virales, dice Rosemary Gladstar, una herbolaria de Barre, Vermont.

La terapia de hierbas tiene también otro beneficio. "Para la gente que está tomando potentes fármacos con muchos efectos secundarios, las hierbas proporcionan alternativas más suaves y más seguras", dice McCaleb. La valeriana, por ejemplo, es una alternativa efectiva (que no crea hábito) a las pastillas soporíficas de venta con receta, dice el Dr. Tyler. Para mareos, el jengibre es una buena alternativa de los antihistamínicos, que pueden causar sueño y del parche escopolamina, que puede causar resequedad en la boca. El jengibre no tiene efectos secundarios significativos, explica.

McCaleb dice que las hierbas *ginkgo* (biznaga) y palmera enana (palmito de juncia) pueden aliviar algunas de las enfermedades asociadas con la vejez. Los estudios demuestran que tomar *ginkgo* puede ayudar a las personas mayores que sufren de pérdida de la memoria y confusión y que la palmera enana es efectiva para tratar los problemas de próstata que sufren muchos hombres mayores.

Y los remedios de hierbas a veces funcionan cuando los tratamientos médicos occidentales fracasan. "Son muy buenos para infecciones de las vías urinarias, problemas digestivos, dolores menstruales, tos, resfriados, sarpullidos alergias, fatiga crónica y todo tipo de problemas del sistema inmunitario", dice la Dra. Watson.

Al tratar afecciones serias como enfermedades del corazón, cáncer y trastornos autoinmunes, muchos médicos están recetando remedios a base de hierbas para usar en conjunción con técnicas médicas comunes, dice la Dra. Watson. Hierbas tales como el jengibre, la menta (hierbabuena), la papaya (fruta bomba, lechosa) y el hinojo pueden reducir las náuseas causadas por la quimioterapia, por ejemplo. El musgo irlandés puede funcionar como anticoagulante, y la baya del espino (*hawthorn berry*), el romero y la agripalma (*motherwort*) pueden mejorar la circulación en personas con enfermedades cardíacas. Cuando use hierbas en el tratamiento de problemas mayores de salud, usted debe consultar a un profesional de salud, advierte la Dra. Watson.

Después de todo, sea que los use como prevención, como remedios caseros o como sustancias alternativas a los fármacos, la gente está usando las hierbas muchísimo. Actualmente se calcula que el 12 por ciento de los estadounidenses (unos 33 millones de personas) utilizan remedios herbarios diariamente.

Cómo conseguirlas

Elegir remedios a base de hierbas siempre ha sido un misterio en cierto sentido, ya que los consumidores no reciben mucha ayuda de las instrucciones en las etiquetas sobre qué tomar, con qué propósito y en qué dosis. Esto ocurre porque la Dirección de Alimentación y Fármacos de los Estados Unidos (*FDA* por sus siglas en inglés) prohibe a los fabricantes de productos herbarios poner información terapéutica en las etiquetas, dice James Duke, Ph.D., un etnobotánico y autor de *La farmacia natural*. La razón es que las hierbas se consideran suplementos nutritivos, no fármacos.

Por supuesto, si el fabricante de una hierba quiere comprobar el valor terapéutico de su producto, puede hacerlo. Pero el proceso de pruebas médicas de la FDA sale tan caro que la mayoría de los fabricantes no pueden afrontar el gasto, dice el Dr. Duke, especialmente porque la ganancia económica con los remedios herbarios nunca es tan grande como con los productos farmacéuticos. "¿Quién puede afrontar un gasto de 231 millones de dólares para probar que una hierba como la matricaria (margaza), que usted y yo podemos cultivar en nuestro jardín, puede prevenir las migrañas? ¿Cómo podrían los fabricantes recuperar esos 231 millones de dólares?", dice el Dr. Duke.

Pero aunque estos remedios no sean fármacos químicos aprobados por la FDA, de todos modos se usan con propósitos terapéuticos.

"Es importante recordar que las hierbas son medicinas —dice la Dra. Watson—. Como con cualquier medicina, es importante saber cómo tomar las hierbas, cuán frecuentemente y en qué dosis".

Mucha gente se guía por los libros y las revistas. También es una buena idea, dice Gladstar, pedir consejo a los profesionales de salud, entre ellos médicos y enfermeros interesados en la terapia de hierbas, los médicos naturópatas (*N.D.* por sus siglas en inglés), que se especializan en recetar hierbas, y los herbolarios, que generalmente están entrenados y son en general muy conocedores de la materia. Asegúrese de preguntar acerca de posibles efectos secundarios o interacciones con otros fármacos que usted esté tomando.

Usted debe ser consciente de que el hecho de que algo es natural, no significa que sea seguro. La mayoría de los remedios a base de hierbas son seguros, pero algunos pueden ser bastante peligrosos, especialmente cuando se usan en combinación con fármacos recetados o de venta libre o cuando los usan personas con problemas de salud preexistentes. (Para una lista de hierbas con efectos secundarios potencialmente peligrosos, vea "Hierbas peligrosas" en la página 36).

El carmín (*pokeweed*), por ejemplo, una planta que se ha usado para tratar la artritis, puede producir efectos secundarios serios, tales como parálisis respiratoria y convulsiones, dice el Dr. Duke.

El hidraste (sello de oro, sello dorado), un poderoso antibiótico natural, puede ayudar a combatir resfriados (catarros), gripes y otros tipos de infección. Sin embargo, cuando se usa a largo plazo para infecciones crónicas, se debe tomar solamente en ciclos. Por ejemplo, se puede tomar durante 2 ó 3 semanas y dejar de tomarlo durante otras 2 semanas. Si se toma sin un descanso en el ciclo, puede enfermarla más en vez de hacerla sentirse mejor, dice Gladstar.

Todo a su tiempo

Las hierbas no funcionan necesariamente en forma rápida con problemas de salud crónicos. Para algunas afecciones crónicas, usted posiblemente tendrá que tomar un remedio herbario durante por lo menos tres meses antes de ver algún resultado, dice Gladstar.

"La mayoría de las personas que no obtienen resultados con las hierbas cometen el error de dejar el tratamiento demasiado pronto", dice Gladstar. "No esperan lo suficiente, y no toman cantidades suficientes de la hierba para que esta resulte efectiva".

Usados con prudencia, en el contexto de un estilo de vida sano que incluya una alimentación nutritiva y ejercicios regulares, los remedios herbarios pueden ser el complemento que su cuerpo necesita para que usted siga sintiéndose vital y para que esté protegida de enfermedades, dice Gladstar.

No se olvide de que debido a que los remedios a base de hierbas no están estandarizados, es prudente usar las directivas del fabricante en la etiqueta de cada producto que compre. Si un producto no tiene directivas claras en el paquete, o si tiene cualquier duda o problema con respecto al producto, asegúrese de consultar a un herbolario respetable antes de usarlo.

(*Nota:* Para conseguir los remedios naturales recomendados en este capítulo, consulte la lista de tiendas en la página 170).

HOMEOPATÍA

Dosis pequeñas dan resultados grandes

Después de años de tratar de parar su fiebre del heno con antihistamínicos, el dentista Richard D. Fischer estaba ya harto.

"Estaba tan mal que inmediatamente después de sonarme la nariz y lavarme las manos, tenía que sonármela otra vez. Estaba por llegar al punto de no poder seguir trabajando como dentista", dice el Dr. Fischer quien ejerce en Annandale, Virginia.

Luego un paciente le habló acerca de un médico homeópata de la zona que había ayudado a mucha gente a sobrellevar sus alergias. El Dr. Fischer era escéptico, pero en su tercera consulta con el médico homeópata pasó algo extraordinario.

"Me dio algo que literalmente me abrió las sienes como con un estallido. Se podía hasta oír mientras ocurría. Me sorprendió. Cuando experimenté personalmente qué cambio profundo podía crear la homeopatía, supe que tenía que aprender más sobre ella", dice el Dr. Fischer, presidente de la Academia Internacional de Toxicología y Medicina Oral, un grupo de 500 dentistas, médicos e investigadores que promueve el uso de materiales y procedimientos dentales seguros.

Después de 15 años de entrenamiento en el Centro Nacional para la Homeopatía, un servicio educativo sin fines de lucro en Alexandria, Virginia, que conduce seminarios para médicos y dentistas, el Dr. Fischer dice que él ahora usa la homeopatía para tratar todo, desde mal aliento hasta dolores de muelas.

"Me resulta sorprendente que no haya más dentistas y médicos que usen la homeopatía —dice el Dr. Fischer—. Proporciona tantos beneficios con tan poco riesgo para el paciente (...) no puedo imaginarme trabajando como dentista sin ella".

¿Qué es la homeopatía?

La homeopatía es un tipo de medicina que se basa en el uso de cantidades pequeñas de hierbas, minerales y otras sustancias para estimular nuestras defensas naturales y ayudar al cuerpo a curarse a sí mismo. Muchas veces, según sus proponentes, la homeopatía cura enfermedades con tan sólo una dosis y prácticamente no causa efectos secundarios. A nivel mundial, la homeopatía se ejerce en muchos países, entre ellos la India, México y Rusia. Cuatro de cada diez personas en Francia y una de tres en Inglaterra —incluyendo a la familia real británica— usan la homeopatía, según el Centro Nacional para la Homeopatía.

En los Estados Unidos, sin embargo, la homeopatía es menos conocida. Se introdujo en 1825, y hacia 1890 había 14,000 médicos homeópatas, 22 escuelas médicas homeopáticas y más de 100 hospitales homeopáticos en toda la nación. Pero menos de 50 años más tarde, la homeopatía fue prácticamente olvidada en los Estados Unidos mientras la confianza y dependencia en la medicina occidental crecieron sostenidamente y los científicos desarrollaron antibióticos y otros medicamentos poderosos que parecían capaces de eliminar cualquier enfermedad.

No obstante, actualmente la homeopatía está experimentando un renacimiento en los Estados Unidos. Desde 1970, cuando había menos de 200 profesionales en toda la nación, ha habido un aumento en el interés por la homeopatía en la comunidad médica. Aunque su número es pequeño en comparación con el número de los profesionales de la medicina occidental, hoy hay por lo menos 2,500 médicos, dentistas, quiroprácticos y enfermeros que regularmente recetan remedios homeopáticos, según el Centro Nacional para la Homeopatía.

Cada año, más de 2.5 millones de personas buscan cuidado homeopático. Las ventas al menudeo de remedios homeopáticos han crecido alrededor de un 88 por ciento al año desde 1988 y ahora alcanzan los 300 millones de dólares anuales. En comparación, los estadounidenses gastaron 290 millones de dólares en antiácidos de venta libre y 93 mil millones de dólares en medicinas recetadas en 2000. Pero esa disparidad puede llevar de alguna manera a una conclusión errónea, dicen los proponentes, porque los remedios homeopáticos cuestan una fracción de lo que cuestan la mayoría de los productos farmaceúticos convencionales. Un remedio homeopático típico, que contiene de 30 a 100 dosis, cuesta alrededor de $7, según la Asociación Farmacéutica Homeopática de los Estados Unidos.

De igual a igual

Homeopatía, que deriva de dos palabras griegas, significa literalmente “sufrimiento similar”. Aunque el concepto data de por lo menos el siglo X antes de Cristo, la homeopatía moderna está basada en las observaciones de Samuel Hahnemann, un médico alemán del siglo XVIII. El Dr.

Hahnemann consideraba que las prácticas médicas de ese tiempo eran barbáricas, porque a los pacientes generalmente se les hacía sangrar y ampollar para purgarlos de líquidos que se creía causaban la mayoría de las enfermedades.

Desilusionado, dejó la medicina y se convirtió en traductor de textos científicos, dice la Dra. Maesimund Panos, una homeópata de Tipp City, Ohio. Pero el Dr. Hahnemann siguió experimentando consigo mismo con varias sustancias para encontrar una manera más humana de ayudar a curar a la gente. Sospechó que la enfermedad representaba un desequilibrio de lo que él llamó la fuerza vital del cuerpo (los homeópatas modernos piensan que hablaba del sistema inmunitario) y que solamente era necesario un pequeño estímulo para restaurar ese equilibrio en las defensas naturales del cuerpo.

Pero esa corazonada no floreció totalmente hasta que inició experimentos para descubrir por qué pequeñas dosis de quinina, un extracto de corteza de un árbol peruano, curaban la malaria. Para su propia sorpresa, el Dr. Hahnemann descubrió que grandes dosis de esta droga tenían efectos inesperados. Después de tomar dosis enormes de quinina durante varios días, él empezó a desarrollar temblores, palpitaciones cardíacas y otros síntomas de malaria. Tan pronto como dejó de tomar la droga, sus síntomas desaparecieron. De este experimento, el Dr. Hahnemann desarrolló la idea de que "igual se cura con igual", también conocida como la ley de la semejanza, que es la base de la homeopatía.

El Dr. Hahnemann teorizó que si grandes cantidades de una sustancia tal como la quinina causan síntomas de enfermedad en una persona sana, entonces dosis pequeñas de esa misma sustancia deberían curar a una persona enferma que tiene síntomas similares. Entonces si usted padece un resfriado (catarro), por ejemplo, tomar una cantidad pequeña de una sustancia que en grandes dosis causaría síntomas como los del resfriado debería curar sus estornudos, de acuerdo con la teoría del Dr. Hahnemann. Pero el remedio funcionará solamente si sus pautas de síntomas inducidos coincide con los síntomas de la persona enferma.

El Dr. Hahnemann y sus primeros seguidores condujeron más experimentos, en los que dieron grandes cantidades de hierbas, minerales y extractos de animales a personas sanas y registraron todos los síntomas que estas personas desarrollaron. Más tarde, el Dr. Hahnemann compiló estos experimentos en *Materia Medica*, una guía de referencia publicada por primera vez en 1811 que ayuda a los profesionales a relacionar los síntomas de un paciente con el remedio homeopático correspondiente.

Curarse con veneno

Pero el Dr. Hahnemann tuvo que vencer un obstáculo grande. Algunas de las sustancias que usó, tales como arsénico, mercurio y belladona, eran venenosas. Entonces diluyó las sustancias en agua y alcohol hasta que creyó tener dosis seguras que iniciarían la curación en el cuerpo sin causar ningún efecto perjudicial. En realidad, el Dr. Hahnemann teorizó que mientras las dosis fueran más pequeñas, el remedio no solamente se volvería menos tóxico sino que en realidad se volvería también más potente y efectivo.

Actualmente, más de 1,200 sustancias son reconocidas como remedios homeopáticos. Estos remedios se diluyen de manera que una gota de una medicina se mezcle con 9 ó 99 gotas de una solución que sea un 87 por ciento alcohol y un 13 por ciento agua destilada, creando una dilución de 1 a 10 o de 1 a 100, dice el Dr. Chris Meletis, un naturópata de Portland, Oregon. Esta mezcla se agita fuertemente, luego una gota de la mezcla se diluye y se agita en otras 9 ó 99 gotas de solución. Después de aproximadamente 24 diluciones, generalmente ya no queda en la solución ninguna molécula de la medicina homeopática original, dice el Dr. Meletis. Este proceso, sin embargo, continúa frecuentemente por 1,000 diluciones y agitaciones o más para aumentar la potencia de la solución, dicen los homeópatas.

Los remedios homeopáticos son regulados por la Dirección de Alimentación y Fármacos. Disponibles en pastillas, polvo o líquido, estos remedios se consideran tan seguros que el 95 por ciento de ellos son de venta libre en muchas tiendas de productos naturales en los Estados Unidos, de acuerdo con el Centro Nacional para la Homeopatía. (Cuando los compre, recuerde que los remedios cuyas etiquetas tienen una X han sido diluidos de 1 a 10, mientras que los que tienen una C, que son más potentes, han sido diluidos de 1 a 100. Entonces un remedio 3C, por ejemplo, ha sido diluido tres veces de 1 a 100 y es el equivalente a una gota de remedio homeopático en un millón de gotas de una solución de agua y alcohol).

"Incluso los venenos tienen un propósito en este mundo si se les usa apropiadamente", dice la Dra. Deborah Gordon, una homeópata de Ashland, Oregon. "Lo importante que hay que recordar sobre los remedios es que estamos usando cantidades bien pequeñas que se diluyen al punto de que son simplemente un reflejo de las sustancias".

Nuevas pruebas científicas

La mayoría de las pruebas que respaldan la homeopatía son anecdóticas. Es decir, no vienen de estudios sino de testimonios personales de individuos. Pero los proponentes dicen que la mayoría de los estudios convencionales de medicina sobre la homeopatía no son perfectos porque intentan medir la efectividad de un remedio homeopático en su lucha contra una enfermedad. Dado que los homeópatas creen que los individuos pueden tener la misma enfermedad pero distintos síntomas y por lo tanto necesitan distintos remedios, sostienen que cualquier estudio que requiera que cada participante reciba el mismo remedio homeopático está destinado a dar resultados no concluyentes.

"Los médicos homeópatas han estado siempre más involucrados en el cuidado de sus pacientes y no han tenido el tiempo o la motivación para realizar este tipo de estudios controlados", dice la Dra. Panos.

Sin embargo, eso está cambiando, ya que más homeópatas están realizando más investigaciones; los proponentes dicen que probablemente probarán que la homeopatía funciona. En un estudio con 478 personas que tenían síntomas de gripe, científicos franceses descubrieron que el 17 por ciento de las que recibieron tratamiento homeopático mejoraron dentro de las 48 horas de haber iniciado el tratamiento en comparación con el 10 por ciento de los individuos que tomaron placebos (compuestos que se parecen a las medicinas verdaderas pero que no tienen efecto farmacológico).

Un grupo de 40 niños nicaragüenses que recibieron tratamiento homeopático se recuperaron de ataques de diarrea aproximadamente un día antes que los niños que tomaron placebos, según investigadores de la Universidad de Washington en Seattle.

En otro estudio citado por homeópatas, investigadores escoceses le dieron remedios homeopáticos a base de hierbas a 56 personas con fiebre del heno. Después de 5 semanas, estas personas eran menos propensas a sufrir de goteo de la nariz, ojos irritados y otros síntomas de la fiebre del heno que el otro grupo que había tomado placebos.

El agitar puede curar

Aunque estos estudios sugieren que la homeopatía puede ser efectiva, nadie sabe realmente cómo funciona. Pero parte de la respuesta puede tener que ver con las diluciones y agitaciones mencionadas anteriormente.

El Dr. Hahnemann creía que agitar vigorosamente la solución durante cada dilución libera una esencia como el "espíritu" que tiene el potencial de curar el cuerpo.

Ahora algunos homeópatas piensan que conocen la ciencia detrás de la idea del Dr. Hahnemann. Las agitaciones, creen, cargan una solución con

CÓMO AUMENTAR SU PODER CURATIVO

A continuación hay algunas cosas que usted puede hacer para aumentar la efectividad de un remedio homeopático.

Primero, mantenga su remedio en un lugar frío y oscuro, alejado de la luz directa del Sol y de temperaturas más altas que 100°F (36°C). Evite exponer el remedio a olores fuertes tales como perfumes o bolas de naftalina, los cuales pueden disminuir su efectividad, dice Dana Ullman, fundador y presidente de la Fundación para Educación e Investigación Homeopática en Berkeley, California.

Evite el café, porque muchos remedios son afectados adversamente por los aceites esenciales que le dan el sabor a esa bebida, dice la Dra. Maesimund Panos, una homeópata de Tipp City, Ohio.

Evite los bálsamos, las cremas faciales y otros productos que contengan alcanfor mientras esté tomando un remedio homeopático, ya que en raras ocasiones, según dice Ullman, el alcanfor puede neutralizar la eficacia del remedio.

Tampoco debe usar pastas de dientes o enjuagues bucales con sabor a menta por al menos una hora antes y luego una hora después de que

una impresión electromagnética de la sustancia homeopática original. Esta impresión permanece por mucho tiempo después de que las moléculas de la sustancia original han sido diluidas. Puede ser el modelo claro de energía electromagnética de cada remedio que sacude las defensas del cuerpo y las pone en acción contra una dolencia específica, dice la Dra. Panos.

Investigadores de la Facultad de Medicina de la Universidad Allegheny de las Ciencias de la Salud (antes el Colegio de Medicina Hahnemann) en Filadelfia, por ejemplo, examinaron 23 remedios homeopáticos para determinar su resonancia magnética nuclear, una medición de la actividad de las moléculas pequeñas. Los investigadores descubrieron que los remedios homeopáticos tenían partículas subatómicas activas —una señal de que los remedios habían sido activados— mientras que las partículas subatómicas en un grupo de remedios de placebo estaban inactivas.

usted se tome un remedio homeopático, dice Richard D. Fischer, D.D.S., un dentista y homeópata de Annandale, Virginia, y presidente de la Academia Internacional de Toxicología y Medicina Oral. Igual al alcanfor, la menta puede ser un antídoto a un remedio. Las pastas dentífricas homeopáticas que contienen componentes seguros para usar con remedios homeopáticos están disponibles en muchas de las tiendas de productos naturales. Para conseguirlas, consulte la lista de tiendas en la página 170.

Evite usar frazadas eléctricas porque pueden causar molestias leves en el sistema nervioso del cuerpo y esto puede dificultar el funcionamiento del remedio, dice Ullman. "Es una complicación poco común, pero algunos homeópatas han notado que por alguna razón desconocida las frazadas eléctricas pueden actuar como antídotos", explica.

Tome no más de tres dosis de un remedio en un día a menos que su homeópata le haya indicado más, dice la Dra. Deborah Gordon, una homeópata de Ashland, Oregon. Deje de tomar el remedio cuando empiece a sentirse mejor, porque dosis excesivas de medicina homeopática pueden en realidad reavivar los síntomas que usted está tratando de eliminar.

"La clave está en la agitación", dice Kelvin Levitt, P.D., farmaceútico de Randallstown, Maryland, que ha hecho y usado remedios homeopáticos durante más de 17 años. "Libera energía curativa pura en la solución y cuando usted la toma, eso es lo que hace que el cuerpo empiece a curarse".

Cómo trabajan los homeópatas

Antes de que usted se trate por su cuenta o vaya con un homeópata, hay algunas cosas que debe saber. Primero, los homeópatas dicen que ellos no tratan enfermedades específicas. En cambio, tratan a la persona entera basado en todos sus síntomas emocionales y físicos. Entonces de acuerdo a sus síntomas, a una persona que tiene una verruga y a una persona que tiene un dolor de cabeza se les puede dar el mismo remedio.

Por otra parte, los homeópatas creen que dos personas con la misma enfermedad pueden tener síntomas bien diferentes y necesitar remedios muy distintos.

Es poco probable, por ejemplo, que su migraña y la de su jefe sean similares, dice la Dra. Panos. Usted se puede sentir mejor con hielo en la cabeza, pero su jefe se puede sentir mejor con una toalla caliente. Puede ser que usted se sienta muy mal si se mueve, mientras el dolor de su jefe posiblemente se alivie si se levanta y camina. Usted puede sufrir sus migrañas por la mañana, pero él puede tenerlas por la tarde.

"Nadie, desde el punto de vista homeopático, es un caso típico, porque todos somos individuos —dice la Dra. Panos—. El enfoque principal de la homeopatía es determinar qué síntomas están presentes en cada individuo".

A diferencia de un médico que le daría una aspirina para el dolor de cabeza, un descongestivo para la nariz, unas pastillas para el dolor de garganta y un sedante para calmar la ansiedad, un homeópata busca un solo remedio que ayude con todos los síntomas.

"Cuando una persona está enferma, nosotros buscamos el remedio que en las pruebas causó los síntomas más similares a los síntomas físicos y emocionales que muestra el paciente —dice la Dra. Panos—. Para mejores resultados, es necesario encontrar el remedio que sea más parecido".

Con frecuencia un homeópata dedica más de una hora a cada nuevo paciente y trata de aprender todo lo que pueda sobre sus síntomas. Un homeópata, por ejemplo, le puede preguntar si se siente peor a alguna hora particular del día, si ansía comer determinados alimentos tales como limones o tocino o si ha desarrollado ansiedades repentinas como miedo al agua o a los perros.

"Los síntomas comunes tienen muy poco valor como herramienta para recetar —dice la Dra. Panos—. Saber que usted tiene tos realmente no nos dice mucho. Pero hay ciertas características de la tos, tales como si ocurre cuando usted entra a una habitación climatizada o cuando está afuera, que nos ayuda a encontrar el remedio adecuado". Por esta razón, cuando usted vea los remedios homeopáticos aplicados a distintas enfermedades en este libro, verá que en muchos casos el remedio se recomienda con base en los síntomas que una esté experimentando.

Ayúdese

Aunque parezca complicado, los homeópatas dicen que lo básico es fácil de aprender y muchas mujeres pueden desarrollar suficientes aptitudes homeopáticas para tratar en el hogar la mayoría de las dolencias menores de la familia.

"La gente que usa la homeopatía como cuidado primario en el hogar o como primeros auxilios no tiene que ir con el médico muy seguido y lo hace solamente por problemas realmente serios —dice la Dra. Jacquelyn Wilson, una homeópata de San Diego, California—. Pueden manejar muchos problemas en casa y nunca tienen que regresar al médico por cosas como dolores de oído, resfriados (catarros), gripe, sarpullidos y dolores de garganta".

Pruebe los remedios sugeridos en este libro, pero si está seriamente decidida a usar la homeopatía extensamente, entonces los profesionales sugieren que obtenga por lo menos 20 horas de instrucción de un homeópata entrenado o que participe en un grupo de estudio de autoayuda.

Si usted no está segura de cuál remedio es mejor para su afección, muchas tiendas de productos naturales venden combinaciones de remedios homeopáticos para dolencias menores tales como resfriados, gripe, dolores de cabeza y alergias. Dado que estas combinaciones contienen varios remedios homeopáticos que se usan comúnmente para tratar una dolencia, los proponentes dicen que es muy probable que el remedio que usted necesite esté presente en la mezcla. Los otros remedios no deberían de surtir ningún efecto.

Pero si los síntomas persisten, ya sea que esté tomando un solo remedio o una combinación, consulte al homeópata. Este puede recomendarle otro remedio homeopático o sugerir cuidados convencionales tales como antibióticos o cirugía si usted tiene una infección o una enfermedad grave, una quemadura seria, hemorragia interna, huesos fracturados u otro problema médico grave.

"En algunos casos es mejor someterse a cirugía u otro tratamiento y luego usar la homeopatía para ayudar al cuerpo a curarse", dice la Dra. Cynthia Mervis Watson, una doctora en medicina familiar de Santa Mónica, California.

(*Nota:* Para conseguir los remedios naturales recomendados en este capítulo, consulte la lista de tiendas en la página 170).

JUGOS

Exprimir para vivir mejor

Los jugos de fruta y verduras no son nada nuevo en la alimentación estadounidense. En las cafeterías de hospitales, los restaurantes de comida rápida y también en nuestras propias cocinas, un desayuno no es un desayuno sin el jugo de naranja (china). Los jugos vienen ahora en paquetes especiales diseñados para que los niños puedan tomarlos con sus manos pequeñas, y para que los adultos conscientes de su salud los beban todo el día como una alternativa sabrosa a las sodas.

No obstante, los jugos de frutas y verduras no sólo son deliciosos. Según los profesionales de la medicina alternativa, estos néctares sabrosos son tónicos naturales y ofrecen una manera segura y económica de estimular la digestión, aumentar su inmunidad y fomentar la eliminación de toxinas. Se cree también que los jugos frescos son un arma potente contra las enfermedades; los estudios muestran que los jugos pueden acelerar la curación de infecciones e incluso ayudar a curar úlceras del estómago. Y cuando se usan en conjunto con otros métodos de curación natural como las hierbas, la homeopatía y la terapia de alimentos, los jugos frescos pueden crear la mejor base nutritiva para aumentar las capacidades curativas naturales del cuerpo.

Aunque los estadounidenses preocupados por su salud empezaron a tomar jugos en la década de los años 70, la costumbre de tomar jugos no empezó recientemente. La terapia de jugos ha sido por mucho tiempo un componente de Ayurveda, un sistema tradicional de medicina que se originó en la India hace 5,000 años, dice el Dr. John Peterson, un doctor de Ayurveda (la medicina tradicional de la India) de Muncie, Indiana.

En Ayurveda, se usan jugos específicos para fortalecer cada tejido o *dhatue* del cuerpo. Los que ejercen Ayurveda creen que el estrés, el desequilibrio emocional y la mala digestión pueden bloquear la absorción normal de nutrientes por parte del cuerpo, lo cual trae como consecuencia desnutrición y enfermedad. Al recetar jugos específicos para fortalecer el tejido débil, el Dr. Peterson dice que ha tenido resultados excelentes con afecciones tan variadas como anemia, estreñimiento y artritis.

Actualmente los jugos son usados por naturópatas que tratan a sus pacientes con una combinación de métodos de curación natural, entre ellos la homeopatía, las hierbas, las vitaminas, los consejos sobre la nutrición y la acupuntura. En la Clínica Naturopática del Noroeste en Portland, Oregon, el naturópata Steven Bailey receta un ayuno vigilado de jugos para muchos pacientes, entre ellos personas con artritis, cáncer y SIDA. Durante el ayuno, los pacientes del Dr. Bailey se abstienen de ingerir alimentos por varios días, y se alimentan con dosis grandes de jugos frescos de frutas y verduras.

"Ayunar con jugos aumenta la capacidad curativa natural del cuerpo", explica el Dr. Bailey. "Los jugos proporcionan una nutrición óptima y lleva muy poca energía digerirlos. Y como resultado de que usted no se pasa seis horas tratando de digerir una comida alta en grasa y rica en proteínas, su cuerpo tiene más energía para dedicar a repararse".

El ayuno con jugos también ayuda a identificar sensibilidades a los alimentos, un factor principal en afecciones del sistema inmunitario como la artritis, el asma y el síndrome de fatiga crónica, según dice el Dr. Bailey. Al volver a comer gradualmente después del ayuno, muchos de los pacientes descubren que sus síntomas empeoran cuando comen ciertos alimentos. "La mayoría de mis pacientes no se dan cuenta de que son sensibles a ciertos alimentos hasta que empiezan un ayuno con jugos, ven una mejoría en sus síntomas y luego se enferman otra vez cuando empiezan a comer alimentos tan comunes como maíz (elote), trigo y tomates (jitomates)", explica.

"Quitar el alérgeno de la alimentación libera al sistema inmunitario de una carga tremenda, de manera que pueda combatir enfermedades más efectivamente".

Aunque muchos se han beneficiado con el ayuno de jugos, este no es para todos. Una afección médica oculta como la diabetes o la hipoglicemia puede hacer el ayuno peligroso sin una supervisión médica cuidadosa. Por lo tanto, asegúrese de obtener asesoría profesional antes de empezar un ayuno.

Para aquellas cuyos estilos de vida activos hacen el ayuno poco práctico, una dieta "limpiadora" ofrece muchos de los mismos beneficios que un ayuno con jugos, dice Robert Broadwell, N.D., un naturópata de Fountain Valley, California. Por dos o tres días, los pacientes del Dr. Broadwell siguen una dieta de frutas y verduras crudas complementadas con gran cantidad de jugos frescos; el jugo de remolacha (betabel) diluido es particularmente efectivo para estimular el hígado, dice el Dr. Broadwell. "Esto permite al cuerpo eliminar toxinas acumuladas a causa de una mala alimentación o del uso prolongado de antibióticos".

Una dieta de alimentos crudos con suficiente cantidad de jugos

CÓMO ESCOGER EL MEJOR EXPRIMIDOR

Se requiere un aparato poderoso para destilar una verdura dura y fibrosa en un cóctel suave y dulce. Dado que no puede separar el líquido de la pulpa, su exprimidor de jugos (juguera) puede solamente convertir las frutas y verduras en una pasta blanda y poco atractiva. Aunque el sistema viejo de escurrir con las manos todavía funciona para los cítricos, no es de mucha ayuda para las remolachas (betabeles) y zanahorias.

Para hacerlo bien, usted necesitará un exprimidor eléctrico que se vende en la mayoría de las tiendas departamentales y en las tiendas de productos naturales. Aunque los exprimidores se pueden comprar por tan poco como $25 o tanto como $2,000, los mejores precios están entre $100 y $200, sugiere Cherie Calbom, M.S., una nutricionista certificada de Kirkland, Washington, quien dice que ha probado casi todas los exprimidores en el mercado.

Los exprimidores vienen en dos modelos básicos: el tipo masticador, que "mastica" la fruta y la convierte en una pasta y luego exprime la pasta por un tamiz (criba, cedazo), y el tipo centrifugador, que corta y hace girar la fruta en una canasta de engranaje rotativo y separa el jugo de la pulpa. Los

frescos es segura para casi todas las personas, dice el Dr. Broadwell. Él considera que la dieta limpiadora es especialmente buena para tratar afecciones degenerativas crónicas como las enfermedades cardíacas y la artritis.

Toma que toma

Los jugos no se toman solamente para tratar enfermedades; también son un tipo seguro y económico de medicina preventiva. Los estudios demuestran que una alimentación rica en frutas y verduras disminuye el riesgo de presentar varias enfermedades degenerativas crónicas, entre ellas cáncer, diabetes y cardiopatías. Pero a pesar de las organizaciones tales como el Instituto Nacional de Cáncer en Rockville, Maryland, y la dos tipos son rápidos y efectivos. La mayoría de los exprimidores que se venden en las tiendas de departamentos son del tipo centrifugador; la mayoría de las tiendas de productos naturales tienen de los dos tipos.

Cualquiera que sea el modelo que elija, Calbom recomienda que el exprimidor tenga por lo menos 0.4 caballos de fuerza. Costará más, admite, pero si se cuida adecuadamente, puede durar 20 años o más. Ella prefiere las máquinas que expulsan la pulpa por un lado y vierten el jugo desde el otro. "Si usted está haciendo una cantidad grande de jugo, le ahorra el problema de tener que parar para vaciar el colector de pulpa", dice Calbom. Por otra parte, si está haciendo jugo para una o dos personas, el expulsor de pulpa no es necesario, dice Stephen Blauer, ex director del Instituto de Salud Hipócrates, una clínica naturopática en Boston, Massachusetts.

Sobre todo, su exprimidor debe ser fácil de limpiar; mientras menos piezas tenga, mejor. "Realmente no importa cuán buena sea la máquina si es mucho trabajo limpiarla, porque no la usará", dice Calbom.

Blauer usa un exprimidor que se desarma en cuatro piezas seguras para lavar en el lavaplatos. "Ahorra mucho tiempo", afirma.

Sociedad contra el Cáncer de los Estados Unidos que nos alientan a comer más frutas y verduras, a muchas personas todavía no les ha entrado este consejo. Un estudio demostró que menos de un 10 por ciento de los estadounidenses come las dos frutas y tres verduras que se recomienda comer al día.

Unos pocos vasos de jugo fresco cada día constituyen una buena manera de aumentar la densidad nutritiva de nuestra alimentación, dice Cherie Calbom, M.S., una nutricionista certificada de Kirkland, Washington. "No hay muchas personas que sean capaces de comer una libra de zanahorias crudas al día. Pero cualquiera puede encontrar el tiempo para beberse un vaso de 8 onzas (240 ml) de jugo".

Ese vaso de 8 onzas de jugo de zanahoria contiene un impacto nutritivo de vitaminas importantes, con más de 10 veces la Asignación

PAUTAS PARA EXPRIMIR

En cuanto haya seleccionado las frutas y las verduras que va a exprimir, es importante usarlas tan rápidamente como sea posible. Las siguientes pautas son sugeridas por Cherie Calbom, M.S., una nutricionista certificada de Kirkland, Washington.

- Lave bien las frutas o verduras con un cepillo para verduras (búsquelos en las tiendas bajo el nombre *"vegetable brush"*) antes de hacer el jugo. Si los productos que usted va a exprimir no son orgánicos sino los comunes de la bodega o supermercado, remójelos en agua tibia con una gota de jabón puro de Castilla, el cual se consigue en la mayoría de las tiendas de productos naturales, agrega Stephen Blauer, ex director del Instituto de Salud Hipócrates, una clínica naturopática en Boston, Massachusetts. Una gota de detergente para lavar platos también funciona.
- Si una fruta o verdura ha sido encerada (la mayoría lo han sido), asegúrese de pelarla antes de hacer el jugo. Aunque la cera en sí misma no le hará daño, prácticamente hace que sea imposible quitar los residuos de pesticidas de la piel.
- Quite todas las semillas y huesos (cuescos, pepas). Cuando no esté usando un exprimidor de jugos (juguera) hecho específicamente para frutas cítricas, asegúrese de pelarlas antes de hacer el jugo. La piel de las naranjas y las toronjas (pomelos) contiene un aceite tóxico que es un principio activo de algunos productos de limpieza del hogar, según dice Calbom. Sin embargo, trate de dejar tanto como sea posible de la

Dietética Recomendada de vitamina A y tanta vitamina C como dos plátanos amarillos (guineos).

Lo que los jugos no pueden proveer, sin embargo, es fibra; por lo menos no la cantidad de 20 a 35 gramos que los adultos necesitan cada día. Nuestro vaso de 8 onzas de jugo de zanahoria contiene solamente dos gramos de fibra, en comparación con los 14 gramos en la libra de zanahorias que lleva hacer una taza de jugo. La fibra es esencial para una digestión sana y puede incluso ayudar a prevenir ciertos tipos de cáncer. "Tomar jugo no debe sustituir la ingestión de frutas ricas en fibras, verduras y cereales integrales", enfatiza Calbom.

"Yo aliento a las personas a que consideren los jugos como un suplemento de una alimentación sana", dice Calbom. "Si tuviéramos una alimentación perfecta, comeríamos y bebiéramos las verduras crudas.

parte blanca y medulosa porque esta parte está cargada de vitamina C y flavonoides.

- Corte las frutas y verduras en pedazos lo suficientemente pequeños para que quepan fácilmente en un exprimidor. Pique y bote todas las partes que parezcan estar dañadas o en mal estado; estas no agregan ningún valor nutritivo y pueden afectar el sabor del jugo.
- Lave y exprima todos los tallos o semillas todavía adheridos a la fruta o la verdura. En muchos casos, estos son ricos en valor mineral. Las excepciones son los de la zanahoria y el ruibarbo, los cuales pueden ser tóxicos.
- Ciertas frutas, como el plátano (guineo) y el aguacate (palta), contienen muy poca agua y no se pueden usar para hacer jugos. Si usted quiere incluirlas en una receta de jugo, haga jugo con todas las otras frutas, que sí tienen bastante agua. Luego, vierta este jugo en una licuadora (batidora) y agregue los plátanos o aguacates pelados y lícuelos todos juntos.
- Las frutas y verduras importadas se deben evitar cada vez que sea posible porque contienen residuos de pesticidas más perjudiciales que los productos domésticos. Pero si los tiene que usar, pélelos antes de hacer el jugo.
- Para un beneficio máximo, sirva el jugo inmediatamente. Los jugos guardados en el refrigerador pierden su valor nutritivo muy rápidamente.

Pero cuando consideramos que la mayoría de los estadounidenses no hacen ninguna de esas dos cosas, agregar algunos vasos de jugo fresco cada día puede ayudar mucho a mejorar la alimentación de la mujer común".

Cargados con capacidad curativa

Los jugos frescos tienen más que ofrecer que las vitaminas y los minerales. Una cantidad creciente de investigación científica sugiere que cuando se trata de los beneficios de salud del producto fresco, las vitaminas y los minerales pueden ser tan sólo la punta del témpano.

"Las frutas y las verduras tienen propiedades terapéuticas que la ciencia está solamente empezando a entender", dice Stephen Blauer, ex director del Instituto de Salud Hipócrates, una clínica naturopática en Boston, Massachusetts. "Sabemos mucho sobre las vitaminas y minerales, pero hay muchas otras sustancias en las frutas y verduras que no han sido tan bien estudiadas".

Conocidas en conjunto como "anutrientes", estas sustancias incluyen pigmentos, que les dan a las plantas su color, y enzimas, sustancias producidas en las plantas para ayudar a los humanos a digerirlas.

Probablemente los pigmentos más conocidos son los carotenos, los cuales son responsables de los colores vívidos de verduras tales como las zanahorias, las batatas dulces (camotes, *sweet potatoes*) y el *squash*. Aunque los científicos han identificado más de 400 carotenos distintos, el más famoso es el betacaroteno, un poderoso nutriente que el cuerpo convierte fácilmente en vitamina A. Los estudios indican que el betacaroteno tiene propiedades anticancerígenas potentes y puede en realidad revertir afecciones precancerosas tales como la leucoplaquia oral, un modelo de crecimiento celular anormal que frecuentemente causa cáncer de la boca en personas que mastican tabaco. Estudios adicionales indican que otros miembros de la familia de los carotenos pueden tener un potencial similar para combatir el cáncer.

Un segundo grupo de pigmentos con poder curativo potencial se llama los flavonoides, presentes en verduras, frutas y bebidas como el té. Los flavonoides les dan a las frutas y las flores su tinte vibrante. Mientras los científicos estadounidenses tienen todavía que estudiar los flavonoides en detalle, investigadores europeos han empezado a estudiar los beneficios de salud de estos pigmentos. Un estudio holandés que duró cinco años, realizado con 805 hombres mayores, descubrió que aquellos que consumían regularmente frutas y verduras ricas en flavonoides eran menos propensos a morir de enfermedades cardíacas que aquellos que ingerían menos cantidades, independientemente de qué otros nutrientes ingerían.

Las frutas y verduras crudas son también ricas en enzimas, las cuales son sustancias producidas en el tejido de las plantas que causan las muchas reacciones químicas necesarias para la digestión humana. "Las comidas naturales vienen 'empaquetadas' con las enzimas adecuadas para ayudarnos a digerirlas, —dice Blauer—. Pero cuando usted destruye esas enzimas, como en el caso de comidas altamente refinadas y procesadas, el cuerpo tiene que fabricar las suyas propias y termina trabajando demasiado para procesar los alimentos. Esta no es la forma en que la digestión humana fue diseñada para funcionar".

Tiene que ser fresco

Es importante notar que cuando estos expertos recomiendan jugos, no están hablando de los jugos preempaquetados que se venden en los supermercados. "Los jugos procesados tienen muy poco en común con los jugos frescos, nutritiva o estéticamente", dice Blauer.

Aunque los jugos frescos y los preempaquetados pueden tener el mismo comienzo, todos los jugos que se compran en las tiendas están pasteurizados, un proceso que implica el calentamiento del jugo a temperaturas muy altas para maximizar la vida del producto en el estante. Aunque es un proceso necesario para evitar que el producto se eche a perder, la pasteurización destruye muchas de las vitaminas frágiles y enzimas del jugo, de acuerdo a Blauer. Si bien los jugos comprados en el supermercado son mejores para usted que las sodas, el café o el alcohol, no se considera que tengan mucho valor terapéutico.

Para cosechar los beneficios de salud de los jugos, usted necesita comprar un exprimidor de jugos (juguera) para el hogar, que se vende en la mayoría de las tiendas grandes o de productos naturales a precios de entre $25 y $2,000. Aunque esto requiere algún gasto inicial, la popularidad creciente de los jugos ha atraído a un número de nuevos fabricantes al mercado y los precios son más competitivos que nunca. "Un exprimidor es una de las mejores inversiones que usted puede hacer para su salud", dice Calbom. (Para saber qué es lo que tiene buscar cuando compre un exprimidor, vea "Cómo escoger el mejor exprimidor" en la página 52).

Opte por lo orgánico

Las frutas y las verduras dentro de los jugos determinan cuán sanos son, de manera que es muy importante elegir productos de la mejor calidad. La mayoría de los expertos prefiere los productos orgánicos, frutas y verduras cultivadas sin los pesticidas que se usan en casi toda la agricultura corriente.

"Sabemos tan poco acerca de los efectos a largo plazo de los pesticidas", advierte Calbom. "Para mí, esa es razón suficiente para evitarlos". Comprar productos orgánicos también le ofrece nutrientes más valiosos por su dinero, dice el Dr. Bailey, ya que los granjeros orgánicos protegen el contenido mineral de su suelo.

Si usted hace jugos todos los días y piensa que los productos orgánicos son demasiado caros, todavía puede reducir su exposición a pesticidas si elige versiones orgánicas de solamente las frutas y verduras que usted come más frecuentemente y si lava los productos del supermercado para quitarles los residuos de pesticidas.

Sin embargo, evite los productos importados cuando sea posible, ya que muchos pesticidas que han sido prohibidos en los Estados Unidos todavía son legales en otros países. Si debe usar productos importados, asegúrese de pelarlos antes de hacer el jugo.

Cada vez que sea posible, compre frutas y verduras cultivadas localmente; son generalmente más frescas y más baratas que aquellas que se envían de otras partes del país. Para encontrar variedad, explore los mercados de granjeros locales (*farmers' markets*) y los puestos al lado del camino, y esté alerta a las granjas donde usted misma puede recoger los productos y elegir sus propios melocotones (duraznos), chícharos (guisantes), manzanas o fresas.

Para un beneficio máximo, beba su jugo inmediatamente después de prepararlo; no más de media hora más tarde es lo mejor. Los jugos guardados en el refrigerador pierden su valor nutritivo muy rápidamente. Tan pronto como una fruta o una verdura es procesada en su exprimidor, las enzimas naturales en el jugo empiezan a descomponer los otros nutrientes. Ya que las verduras contienen más enzimas que las frutas, sus nutrientes son reducidos más rápidamente. "Una vez que los jugos de verduras empiezan a volverse espesos, todo lo que queda es agua, minerales y calorías", dice el Dr. Bailey. (Para más información sobre cómo maximizar los beneficios de salud de los jugos, vea "Pautas para exprimir" en la página 54).

(*Nota:* Para conseguir los remedios naturales recomendados en este capítulo, consulte la lista de tiendas en la página 170).

MASAJE

Mano a mano con la enfermedad

En los días antes de que existieran la aspirina, las almohadillas y los *Jacuzzi*, los humanos trataban sus adoloridos cuerpos a la antigua: con masajes. Cuando el hombre de las cavernas se torció una rodilla, se la frotó. Cuando una princesa griega sufrió un dolor en las sienes, se las frotó. Si habían comido demasiado en sus fiestas, los romanos les añadían un toque final a estas: la frotación de sus dedos sobre sus barriguitas doloridas.

De muchas maneras, el masaje es el más natural de los remedios naturales. Tocarse el cuerpo donde duele parece ser un instinto básico, como correr y alejarse del peligro o comer cuando se tiene hambre. Y los expertos dicen que el masaje, independientemente de cuán humilde o de baja tecnología parezca, puede ser un método curativo poderoso.

"Realmente nos hace sentir muy bien, y puede ser una gran ayuda para la curación", dice Vincent Iuppo, N.D., un naturópata y masajista de Denville, Nueva Jersey. "El masaje es una de las mejores formas para ayudar a la circulación de la sangre, las articulaciones doloridas, los dolores de cabeza y muchos otros problemas".

El masaje ha experimentado un gran desarrollo a través de los siglos. Personas en todo el mundo han inventado técnicas especiales, desde el famoso masaje sueco hasta las formas menos conocidas pero crecientes como *Hellerwork*, *Trager* y craneosacral. Muchas de estas terapias requieren años de entrenamiento para dominarlas y usted no se las puede aplicar a sí misma. Sin embargo, los expertos dicen que hay técnicas de automasaje que usted sí puede usar para ayudar a aliviar muchos problemas comunes de salud. Puede eliminar el estrés, los dolores de cabeza, las piernas cansadas y los calambres musculares y más, todo con técnicas que sólo requieren práctica, un lugar tranquilo y cálido y un poquito de aceite de masaje, el cual usted puede preparar con ingredientes de su cocina.

El masaje sueco

El masaje ha existido por al menos 5,000 años, dice el Dr. Iuppo. Los chinos, japoneses, griegos, romanos, egipcios y casi todas las culturas han practicado alguna forma de manipulación corporal para aliviar el dolor y prevenir o curar enfermedades.

En el siglo XIX, un sueco llamado Peter Hendrik Ling comenzó a desarrollar lo que es ahora la forma más ampliamente conocida y estudiada de masaje en el mundo occidental: el masaje sueco. Ling, un esgrimista experto, incorporó la gimnasia, el movimiento y el masaje en un régimen de cuidado de salud que llamó la Cura de Movimiento Sueco. Fue el primer occidental en los tiempos modernos que sistematizó el masaje y estableció una academia en Suecia para enseñar sus técnicas. Los seguidores de Ling han refinado sus técnicas en una serie de maniobras.

Si alguna vez ha recibido un masaje sueco completo, usted sabe cuán relajante puede ser. Pero muchos expertos en masajes creen que ofrece también otros beneficios, entre ellos:

- Reducción de la tensión muscular
- Estimulación o relajamiento del sistema nervioso
- Mejoramiento de la condición de la piel
- Mejoramiento de la circulación de la sangre
- Mejoramiento de la digestión y función intestinal
- Aumento en la movilidad de las articulaciones
- Alivio de dolores crónicos
- Reducción de hinchazones e inflamaciones

Un terapeuta entrenado en masaje sueco usa golpes suaves y ligeros para trabajar sobre el cuerpo entero, aliviar la tensión muscular y relajar las articulaciones doloridas. Los terapeutas de masajes suecos usan cinco movimientos básicos que cualquier mujer puede aprender y usar para hacerse masajes a sí misma o a otros. Estos son:

- ***Effleurage,*** una palabra francesa que significa "deslizar". Es una técnica de calentamiento que le permite a la persona acostumbrarse a sentir las manos del terapeuta. Principalmente, el movimiento deslizante mejora primeramente la circulación, dice Elliot Greene, ex presidente de la Asociación Estadounidense de Terapia de Masaje.

- ***Petrissage,*** una técnica en la que usted suavemente agarra y levanta los músculos, tirándolos en dirección opuesta a los huesos. Usted puede después "amasar" los músculos, estirándolos y apretándolos. Los masajistas creen que este movimiento ayuda a aliviar los músculos doloridos al eliminar el ácido láctico, un derivado creado por los músculos cuando trabajan demasiado duro. El *petrissage* también puede mejorar la circulación hacia el tejido muscular.

- **Fricción,** la cual utiliza los pulgares y las yemas de los dedos para realizar círculos profundos hacia las partes más gruesas de los músculos y también alrededor de las articulaciones. Estos movimientos circulares pueden ayudar a romper adhesiones, que son nudos de tejido que se forman cuando las fibras musculares se juntan. Greene dice que la fricción también puede suavizar el tejido y flexibilizar las articulaciones.

- ***Tapotement,*** que incluye todos los movimientos, toques y golpes ligeros del masaje sueco. Estos se pueden usar con dos propósitos. Unos pocos segundos de *tapotement* puede vigorizar los músculos, estimulándolos y dándole también a usted un arranque de energía. Si usa la técnica por un período más largo, empezará a fatigar y a relajar el músculo, lo cual resulta benéfico para músculos acalambrados, torcidos o en espasmo.

- **Vibración,** cuyos movimientos utilizan la presión de los dedos o las manos allanadas firmemente sobre los músculos y luego se agita el área rápidamente por unos cuantos segundos. Esto puede ayudar a estimular su sistema nervioso, dicen los expertos, y puede mejorar la circulación y la función de las glándulas.

Para instrucciones específicas en estas técnicas, vea las ilustraciones que comienzan en la página 163.

Sus efectos fisiológicos

Aunque el masaje es más viejo que cualquier libro de historia, desde 1920 se han realizado estudios científicos relativamente pequeños acerca de cómo afecta al cuerpo. Sin embargo, una reactivación de la investigación ha empezado a desentrañar el misterio de cómo funciona el masaje, dice Tiffany Field, Ph.D., directora del Instituto de Investigación del Tacto en la Escuela de Medicina de la Universidad de Miami.

En primer lugar, el masaje puede desacelerar la liberación por todo el cuerpo de cortisol, la hormona del estrés, dice la Dra. Field. En un estudio realizado con 52 niños hospitalizados, un masaje de espalda de 30 minutos diarios pareció inhibir la producción de cortisol por parte del cuerpo. Además, las enfermeras del hospital informaron que los niños estaban menos ansiosos y dormían más. La Dra. Field dice que el masaje antes de irse a dormir también parece prolongar la fase más profunda del sueño y da a los músculos y otras partes del cuerpo más tiempo para regenerarse.

Asimismo, el masaje puede aumentar la producción de su cuerpo de otra hormona, la serotonina, la cual puede mejorar su ánimo, aumentar su inmunidad y posiblemente protegerla de migrañas, dice la Dra. Field. Y un estudio realizado con 28 enfermos de cáncer demostró que los hombres que recibieron un masaje de espalda de 10 minutos experimentaron un alivio del dolor a corto plazo inmediatamente después de los masajes.

Los distintos tipos de masaje

Suecia es solamente un país y el masaje sueco es solamente una forma de masaje. Según Greene, las formas más comunes en los Estados Unidos, como el masaje de tejido profundo, el masaje deportivo y el masaje neuromuscular, son refinamientos del masaje sueco.

El **masaje de tejido profundo (*deep tissue massage*)** se concentra en las tensiones crónicas de los músculos que están muy por debajo de la superficie de su cuerpo. Usted tiene cinco capas de músculos en la espalda, por ejemplo, y mientras el masaje sueco puede ayudar con las dos primeras capas, no hará demasiado directamente por el músculo que está debajo. Las técnicas de músculos profundos generalmente requieren movimientos lentos, presión directa o movimientos de fricción que van a través de la textura de los músculos. Los masajistas usarán sus dedos, los pulgares y de vez en cuando hasta los codos para aplicar la presión necesaria.

Un terapeuta puede usar masaje sueco en combinación con el de tejidos profundos u otras formas de masajes, dice Greene. "Yo puedo usar técnicas de masaje sueco hasta que encuentre músculos que necesitan técnicas de tejidos profundos", explica.

El **masaje deportivo (*sports massage*)** está diseñado para ayudarla a entrenar mejor, sea usted una campeona mundial o una atleta sólo durante los fines de semana. Las técnicas son las mismas que en las de los masajes suecos y de tejidos profundos, pero Greene dice que el masaje deportivo ha sido adaptado para cumplir con las necesidades especiales de la atleta. Los masajes antes de un evento pueden ayudar a calentar los músculos y mejorar la circulación antes de la competencia. También pueden vigorizar o relajar a una atleta más ayudarla a concentrarse en la competencia. Los masajes después del evento pueden eliminar los productos de desperdicio del cuerpo y mejorar la recuperación. Los masajes deportivos pueden ayudar a las atletas a prevenir o tratar dolores y molestias menores acumuladas durante el entrenamiento y pueden permitirles entrenarse más efectivamente. Los masajes también ayudan a las atletas a recuperarse de lesiones y rehabilitarse. Este masaje es más rápido que el sueco y el de tejido profundo, dice Greene.

El **masaje neuromuscular** (***neuromuscular massage***) es una variante del masaje de tejido profundo que se aplica a músculos individuales. Se usa para aumentar la circulación de la sangre, reducir el dolor y liberar la presión en los nervios causada por lesiones en los músculos y otros tejidos suaves. El masaje neuromuscular ayuda a liberar puntos de provocación, que son nudos intensos de músculos tensos que también pueden "derivar" dolor a otras partes del cuerpo. Aliviar un punto provocador de tensión en la espalda, por ejemplo, puede ayudar a aliviar el dolor en el hombro o reducir dolores de cabeza.

Hay muchas otras técnicas menos conocidas que difieren del tradicional masaje sueco. "En realidad hay un mundo entero de técnicas", dice Dan Bienenfeld, profesional certificado de *Hellerwork*, masajista y director del Centro de Artes Curativas de Los Ángeles, California, un centro de curación holística que ofrece masajes y otras alternativas naturales de salud. "Usted puede encontrar todo tipo de masajes, desde el tacto suave de los puntos de presión a técnicas bien fuertes. Cada cual le ofrece algo distinto, una manera distinta de curarse".

Algunos masajistas llaman a estas técnicas "trabajo del cuerpo" o *bodywork*. A continuación hay una muestra de algunos de las principales y de los beneficios que se pueden esperar de cada una.

Rolfing busca reeducar a su cuerpo sobre la postura. Cuando la postura es mala, dice Bienenfeld, se puede reflejar en varios problemas de salud, entre ellos dolores de espalda, dolores de cabeza y dolores de articulaciones. El *Rolfing* busca realinear y enderezar su cuerpo al trabajar la miofascia, el tejido conector que rodea sus músculos y ayuda a sostener su cuerpo junto. El programa *Rolfing* de 10 sesiones, de pies a cabeza, solía ser bastante doloroso, pero Bienenfeld dice que nuevas técnicas que emplean las manos y los codos de un terapeuta son bastante tolerables y muy efectivas para mejorar su postura.

Hellerwork es una rama del *Rolfing* que agrega la reeducación mental y de movimiento al trabajo físico. En una serie de 11 sesiones, usted recibe instrucción sobre cómo romper los malos hábitos de postura y también obtiene un masaje que se concentra en volver a sus músculos y otros tejidos a sus posiciones apropiadas. El resultado puede ser dramático. "A veces podemos aumentar enormemente los espacios en sus articulaciones al punto de que usted puede crecer ¾ de pulgada (2 cm) antes de terminar", dice Bienenfeld.

Aston-Patterning, otra rama del *Rolfing* que se desarrolló para enseñar a la gente a mantener el alineamiento que se adquiere con el *Rolfing*. *Aston-Patterning* usa reeducación de posturas y enfatiza técnicas de entrenamiento físico.

Masajéese usted misma

El automasaje no es siempre la solución ideal para sus preocupaciones de salud. A no ser que sea una contorsionista, después de todo es difícil darse una misma un buen masaje en la espalda. Además, no se puede obtener un relajamiento perfecto en una parte del cuerpo cuando se están trabajando los músculos en otra para dar el masaje.

Pero si usted está apurada, no puede afrontar el gasto de un masajista y no tiene a alguien que le haga masajes, hay técnicas que puede probar por su cuenta. La mayoría son métodos de masaje sueco que se adaptan para hacerlas sola. Usted puede fácilmente masajear músculos acalambrados en las piernas o frotarse los hombros para obtener algún alivio.

Para áreas difíciles de acceder como la espalda, usted puede usar pelotas de tenis u otros objetos para ayudarse a masajear los músculos.

Cuando se haga automasaje, asegúrese de encontrar un lugar tranquilo y cálido, libre de corrientes de aire y distracciones. Lleve consigo una almohada y una frazada para no tener frío y estar cómoda. Muchas técnicas requieren el uso de un lubricante, de manera que sus manos se puedan deslizar suavemente sobre sus músculos. Puede comprar cremas, aceites y lociones perfumadas para masajes en muchas tiendas de productos naturales y otras tiendas que venden productos de belleza. Si quiere algo que le quede a mano, usted puede simplemente usar aceite vegetal de su cocina. El Dr. Iuppo dice que los ácidos grasos en el aceite tendrán efecto en su piel, dejándola suave como la piel de un bebé. “Pero si va a usar un aceite vegetal, asegúrese de usar una sábana que no le va a importar perder”, dice, “porque el aceite manchará todo lo que toque”.

(*Nota:* Para conseguir los remedios naturales recomendados en este capítulo, consulte la lista de tiendas en la página 170).

Relajamiento y meditación

Cúrese con un poco de calma

La serenidad sana.

Esa idea es tan antigua como la civilización misma y tan moderna como las pruebas científicas que demuestran que es cierta.

"El relajamiento y la meditación pueden tener un efecto muy poderoso en el cuerpo", dice Steven Fahrion, Ph.D., director de investigación del Instituto de Ciencias de Vida de la Salud de la Mente y el Cuerpo en Topeka, Kansas. "La puede ayudar a enfrentar todo tipo de problemas relacionados con el estrés, entre ellos migrañas, úlceras pépticas y ansiedad. Entonces, yo pienso que las personas que desarrollan y mantienen la paz y la tranquilidad mental experimentan curación física y mental".

En realidad, investigadores han descubierto que las técnicas de relajamiento y meditación pueden aumentar la inmunidad, calmar la ira, ayudar a dejar de fumar y aliviar insomnio, dolores de espalda, presión arterial alta, mareos, impotencia, síndrome premenstrual, menopausia y síndrome del intestino irritable. Con cuidado profesional, estas técnicas también pueden ayudar a controlar diabetes, psoriasis, artritis reumatoide, ataques de pánico, fobias y depresión.

"Creo que todo el mundo se puede beneficiar al aprender cómo relajarse. Aprender a neutralizar los efectos del estrés es uno de los aspectos más importantes de la medicina preventiva", dice el Dr. Andrew Weil, profesor de Medicina Alternativa en la Escuela de Medicina de la Universidad de Arizona en Tucson.

Párese en seco para cuidarse la salud

Relajarse y meditar probablemente no sea lo primero que le viene a la mente cuando está atrapada en un tapón (embotellamiento, tranque) mientras lucha para no llegar tarde a una reunión, terminar un proyecto a tiempo o enfrentar a su esposo cuando está enojado.

En esas situaciones, sus músculos se vuelven tensos, su respiración pesada, sus palpitaciones rápidas, sus venas comprimidas, su presión arterial aumenta, empieza a sudar y las vías digestivas se acalambran. A diferencia de nuestros antepasados primitivos, nosotras no podemos "pelear o huir" —las dos respuestas más naturales frente al estrés— cuando estamos en una situación estresante moderna, como un tapón. Por lo tanto, estamos crónicamente tensas.

Pero lo que usted debería hacer es calmarse, dice el Dr. Robert S. Eliot, director del Instituto de Medicina del Estrés en Jackson Hole, Wyoming. "Si no puede pelear y si no puede huir, entonces tiene que aprender a 'fluir' ", explica.

Resulta clave "fluir", es decir, tomar las cosas con más calma, porque el estrés excesivo puede afectar negativamente a casi cualquier parte de su cuerpo. Por ejemplo, puede elevar la presión arterial, el colesterol y el número de plaquetas de la sangre, todo lo cual puede llevar a la arteriosclerosis (endurecimiento de las arterias) y a los ataques al corazón. El estrés ha sido vinculado a muchas otras dolencias, desde el resfriado (catarro) común hasta el cáncer de colon. En realidad, 8 de cada 10 personas tratadas por médicos de cuidado primario tienen algunos síntomas relacionados con el estrés. El Dr. Eliot dice que en total, las dolencias relacionadas con el estrés le cuestan a la industria estadounidense más de $100 mil millones de dólares anualmente en ausentismo y pérdida de productividad.

"Evocar consistentemente la respuesta del estrés con imágenes de peligro en el pasado o estrés en el futuro es equivalente a encender en su cuerpo una falsa alarma —dice el Dr. Neil Fiore, Ph.D., un psicólogo de Berkeley, California—. Usted está llamando a los bomberos cuando en realidad estos no tienen adónde ir".

Responda con relajamiento

Muchas de nosotras nos escapamos de las garras del estrés a través de actividades como correr, ir al gimnasio o hasta escalar una montaña.

Pero aunque esas actividades pueden aliviar el estrés, también pueden fomentar competencia y frustración, lo cual puede hacer que sea más difícil relajarse.

"Los deportes y las actividades recreativas le dan a algunas personas una válvula de escape legítima para el estrés que no pueden aliviar en la casa o en el trabajo", dice el Dr. Fiore. "Pero para otras personas, estos pasatiempos les aumentan la presión arterial y perpetúan la idea de que sus vidas son una batalla permanente en un mundo hostil y competitivo".

CINCO CONSEJOS PARA RELAJARSE MEJOR

Las técnicas de relajamiento y meditación pueden ser maravillosas para su mente y su cuerpo, especialmente si usted se toma el tiempo para hacer algunos otros cambios en su vida. Aquí hay cinco cosas que usted puede hacer para aumentar su sensación de paz interior, de acuerdo con el Dr. Robert S. Eliot, director del Instituto de Medicina del Estrés en Jackson Hole, Wyoming.

Termine con el tabaco. Además de aumentar su riesgo de enfermedad cardíaca y cáncer del pulmón, fumar provoca la liberación de hormonas de estrés en el cuerpo. Dejar de fumar es la cosa más importante que usted puede hacer para sentirse menos estresada y más relajada.

Controle la cafeína. La cafeína es un estimulante que provoca la reacción al estrés de "pelear o huir", así que evite el café, el té, las sodas, el chocolate y otras comidas y bebidas que contienen cafeína.

Cálmese con carbohidratos. Comer cereales, verduras y frutas cargados con carbohidratos complejos como espagueti, manzanas y frijoles (habichuelas) cocidos puede provocar la liberación de hormonas que la ayudarán a relajarse.

Salga y sude. Hacer ejercicio en forma regular es una parte fundamental de cualquier programa de relajamiento. Puede disminuir la ansiedad, detener la depresión y ayudar a aumentar la autoestima de la persona. Trate de caminar por 15 ó 20 minutos al día.

Muérase de risa para vivir mejor. El humor es un aliado poderoso en su búsqueda de relajamiento. Una buena risa provoca la liberación de las endorfinas, sustancias químicas en el cerebro que producen sentimientos de euforia. También suprime la producción de cortisol, una hormona que se libera cuando usted está estresada y que indirectamente aumenta la presión arterial al hacer que su cuerpo retenga sal. Por lo tanto, trate de encontrar humor en la vida diaria.

Para ayudarse a calmarse a sí misma, el Dr. Fiore y otros expertos recomiendan que deje descansar su mente varias veces al día, de manera que por lo menos unos minutos no esté arrepintiéndose por ayer o preocupándose por mañana. En cambio, usted está concentrada en el momento presente sin sentirse obligada a hacer juicios acerca de su vida.

"Es como ser actriz en un drama emocional, donde puede salir del escenario, sentarse en la audiencia y observar otra parte de sí misma actuando en la escena de la persecución", dice el Dr. Fiore.

Lo que es más importante es que estos períodos de descanso mental pueden evocar la "respuesta de relajamiento", un estado fisiológico que ha probado disminuir los sentimientos de estrés y ansiedad.

La respuesta de relajamiento reduce la tensión muscular, disminuye las palpitaciones cardíacas, la presión arterial, el metabolismo y la respiración y provoca sentimientos de tranquilidad, dice Eileen Stuart, R.N., directora de programas cardiovasculares en el Instituto Médico de Mente-Cuerpo, una clínica de medicina de la conducta en el Hospital Deaconess en Boston, Massachusetts.

Aunque la respuesta de relajamiento se asocia frecuentemente con una forma simple de meditación descrita por el Dr. Herbert Benson, presidente del Instituto Médico de Mente-Cuerpo, puede fácilmente ser evocada por otras técnicas de relajamiento y meditación, dice Stuart.

La respuesta de relajamiento atempera la liberación de adrenalina, catecolaminas y otras hormonas de estrés que provocan la reacción de "pelear o huir", dice Stuart. Eso es importante, ya que una sobredosis de las hormonas de estrés puede suprimir el sistema inmunitario y elevar los niveles de colesterol en la sangre.

La respuesta de relajamiento también cumple otra función vital.

"Este tipo de relajamiento profundo está asociado en muchas formas distintas con la curación", dice el Dr. Fahrion. "Cuando usted logra estar profundamente relajada, por ejemplo, el cuerpo libera hormonas de crecimiento que ayudan a reparar y restaurar el tejido dañado".

Cómo comenzar a relajarse

Los proponentes dicen que hay literalmente docenas de formas de producir respuestas de relajamiento. Algunas, como la meditación, han existido por siglos. Otras, como el relajamiento progresivo y la biorretroalimentación (*biofeedback*), se han desarrollado en los últimos 70 años.

"Todas estas técnicas pueden funcionar bien para usted", dice el Dr.

Fiore. "Es cuestión de descubrir cuáles son aquellas con las que usted se siente más cómoda".

En realidad, mientras más técnicas conozca, mejor es, dice Martha Davis, Ph.D., una psicóloga de Santa Clara, California. "Usar una combinación de técnicas, tal como respiración profunda seguida por relajamiento progresivo, puede aumentar el poder del efecto relajante. Cada técnica la lleva a un nivel más profundo y duradero en el estado de relajamiento", dice la Dra. Davis.

Antes de empezar, sin embargo, es importante recordar que estas técnicas no van a evitar que de vez en cuando haya estrés en su vida.

"No creo que haya ninguna manera de eliminar el estrés —dice el Dr. Weil—. El desafío está en encontrar formas de manejarlo mejor, de manera que no dañe su cuerpo".

A continuación, echemos un vistazo a algunas de las técnicas más comunes de relajamiento y meditación que pueden ayudarla a manejar el estrés.

Tan sólo respire hondo

La respiración profunda constituye una de las formas más simples para relajarse y es una parte integral de muchas de las otras técnicas de relajamiento y meditación.

"Si yo tuviera una receta para relajarse, esta sería un ejercicio de respiración", dice Janet Messer, Ph.D., una psicóloga de Eugene, Oregon. "Cuando usted disminuye su respiración y concentra su atención en la parte inferior de su vientre, esto tiene realmente profundos efectos fisiológicos y psicológicos".

La respiración abdominal profunda relaja los músculos tensos del pecho y abre los vasos sanguíneos de manera que el corazón pueda palpitar más eficientemente, dice el Dr. Eliot. También la ayuda a pensar claramente, de manera que pueda mantener la calma en una situación estresante.

Además, investigadores en la Facultad de Medicina de la Universidad Wayne State en Detroit descubrieron que mujeres menopáusicas que practicaban respiración profunda tenían un 50 por ciento menos de sofocos (bochornos, calentones) que las mujeres que no la practicaban.

"Lo maravilloso de la respiración profunda es que está siempre allí", dice la Dra. Messer. "Usted puede practicarla en el tren, sentada en su escritorio o si su jefe está empezando a ponerla nerviosa".

Para llevar a cabo esta técnica, siéntese en una silla con la espalda derecha, sugiere la Dra. Messer. Respire lentamente y sienta sus pulmones llenarse desde el fondo hasta arriba. Concentre su atención en el vientre; déjelo expandirse mientras respira. Debería sentirse como si su diafragma, la membrana muscular que separa los pulmones del abdomen, estuviera siendo empujado hacia abajo, como si estuviera adherido a una cuerda en su vientre. Luego, exhale lentamente, vaciando sus pulmones desde arriba hacia abajo. Sienta a su diafragma relajarse en su posición natural. Haga esto dos veces al día durante 5 minutos.

Para aumentar el efecto, el Dr. Eliot sugiere que mientras inhale piense, "Mente clara, fresca", y mientras exhale, "Cuerpo calmado, relajado".

Meditar para relajar

La meditación ya no es solamente para los gurús indios o los *hippies*.

"Mucha gente se imagina a un meditador como alguien que se sienta en una cueva todo el día o un mago sentado en la cima de una montaña. Pero en realidad, alguien que camina puede hacerlo mientras recorre la calle, o un corredor de bolsa lo puede hacer mientras lee las cotizaciones. Por lo tanto, la meditación no es simplemente sentarse y retorcerse", dice Sundar Ramaswami, Ph.D., psicólogo clínico en el Centro Comunitario de Salud Mental F.S. Dubois en Stamford, Connecticut, y proponente y profesional de meditación por más de 20 años.

La meditación es descrita por sus proponentes como un tipo intenso de concentración interna que le permite a una concentrarse en sus sentidos, alejarse de sus pensamientos y sentimientos y percibir cada momento como un evento único.

"Yo siempre he definido a la meditación como una forma de arte marcial mental. Normalmente, somos reactivas a nuestros pensamientos; nos atacan y nosotras los pateamos. Con la meditación, aprendemos a evitar los ataques. Aprendemos a cómo mantenernos centradas de manera que no estemos más a merced de nuestros propios pensamientos", dice Joan Borysenko, Ph.D., una psicóloga de Boulder, Colorado.

Probablemente el tipo más conocido de meditación sea el de la meditación trascendental (*TM* por sus siglas en inglés), una técnica sin esfuerzo introducida y enseñada por Maharishi Mahesh Yogi. Durante un curso de siete pasos, los profesionales de la TM aprenden cómo usar un sonido especial e insignificante llamado *mantra*.

Pero la TM es simplemente una de muchas técnicas de meditación. Estas técnicas se pueden clasificar en dos categorías generales.

La meditación concentrativa usa una figura, una palabra (*mantra*), un objeto (tal como una llama de vela) o una sensación (tal como la respiración) para concentrar la mente, dice el Dr. Ramaswami. Si se empieza a distraer, una vuelve a concentrarse en el objeto.

La meditación de atención total es más compleja. En lugar de concentrarse en una sola sensación o un solo objeto, usted permite que pensamientos, sentimientos e imágenes floten en su mente.

"En la meditación de atención total usted es una observadora neutral", dice el Dr. Ramaswami.

"Nota sus pensamientos, deseos y sensaciones de la misma forma que un cartero puede notar las estampillas en las cartas que entrega. Usted deja que estos pensamientos entren y salgan de su mente sin expresar sentimientos positivos o negativos al respecto".

Algunas formas de meditación usan una combinación de técnicas concentrativa y de atención total. En realidad, usted puede estar ya practicando meditación sin saberlo.

Meditemos y mejoremos

"Todas entramos en un estado de meditación varias veces al día sin realmente llamarlo por ese nombre", dice la Dra. Borysenko. "Simplemente piense en un momento de su vida en que estaba totalmente absorta en sus pensamientos. Pudo haber sido cuando estaba cavando en el jardín, jugando con su hijo u observando un crepúsculo. En ese momento, el pasado y el futuro desaparecieron y usted estaba viviendo el presente. Esa es una forma de meditación".

Aunque con frecuencia se le percibe como una actividad espiritual o religiosa, la meditación se puede usar simplemente para relajamiento y para mejorar su salud, dice la Dra. Borysenko.

Algunos estudios han mostrado, por ejemplo, que la meditación puede reducir la ansiedad y calmar la ira. Otros estudios han mostrado que puede reducir la severidad del asma, las migrañas y los dolores crónicos.

La meditación también puede ayudar a aminorar el síndrome premenstrual, de acuerdo a investigadores de la Escuela de Medicina de Harvard. En un estudio de 46 mujeres, los investigadores descubrieron que la meditación realizada dos veces al día por 15 ó 20 minutos a la vez redujo los síntomas premenstruales en un 58 por ciento. Ese fue el doble del mejoramiento logrado por mujeres que leyeron dos veces al día para reducir sus síntomas premenstruales.

En un estudio de la Universidad Internacional Maharishi en Fairfield, Iowa, realizado con 29 hombres de 18 a 32 años de edad, los investigadores llegaron a la conclusión de que practicar la TM dos veces al día puede reducir los niveles sanguíneos de cortisol, una hormona que en cantidades excesivas puede inhibir la inmunidad, aumentar la presión arterial y causar otros efectos perjudiciales.

Para probar una meditación simple de atención total, busque un lugar tranquilo y siéntese en una posición cómoda. Respire varias veces lenta y profundamente. Mientras exhala, pregúntese, "¿Quién soy?" Fíjese en las asociaciones —"Soy una madre", "Soy una esposa", "Soy una comerciante", "Estoy cansada", "Estoy enojada"— que le vienen a la mente sin juzgarlas, dice el Dr. Ramaswami. Si usted piensa, "Soy la dueña de una propiedad", por ejemplo, y empieza a preocuparse acerca de los pagos de la hipoteca, vuelva a concentrar su mente en la pregunta, "¿Quién soy?".

El Dr. Ramaswami sugiere practicar esta meditación por 20 minutos dos veces al día al principio. Luego mientras se vuelva más competente y más consciente de las sensaciones de su cuerpo, usted quizá descubra que puede meditar menos y todavía obtener el mismo efecto. "Esta meditación la ayudará rápidamente a llegar al centro de sus pensamientos más profundos", agrega el Dr. Ramaswami.

Instrúyase e inflúyase

Su mente habla, su cuerpo escucha. Esa es la premisa de *autogenics*, una técnica que tiene mucho en común con el yoga, la imaginería y la meditación.

Autogenics, que significa "autogeneración", fue desarrollada en la década de los años 30 por el Dr. Johannes Schultz, un neurólogo y psiquiatra alemán. El Dr. Schultz —quien comparó los sentimientos generados por la *autogenics* con un baño largo y relajante— quería que las personas pudieran generar un relajamiento profundo de una manera versátil y práctica. En esencia, la idea es sentarse en una posición cómoda y darle a su cuerpo una serie de instrucciones tales como: "Mis manos están calientes (. . .) mis manos están pesadas".

Los proponentes creen que hacer esto estimula la circulación de la sangre y profundiza el relajamiento. En un estudio con 34 hombres y mujeres en la Universidad McMaster en Hamilton, Ontario, por ejemplo, se descubrió que la *autogenics* constituye una técnica efectiva para reducir el número y la severidad de las migrañas y los dolores de cabeza.

"Un ejercicio autogénico es una buena manera en que la mujer común pueda aprender a hablarse a sí misma en un idioma con el cual su cuerpo pueda cooperar", dice el Dr. Fiore.

Usted necesita encontrar una sala tranquila, sentarse o acostarse en una posición cómoda, cerrar los ojos y respirar profundamente varias veces, dice Martin Shaffer, Ph.D., director ejecutivo del Instituto de Manejo del Estrés en San Francisco. Mientras exhale, repita estas instrucciones para usted misma.

"Mis manos y mis brazos están calientes y pesados" (cinco veces).

"Mis pies y mis piernas están calientes y pesados" (cinco veces).

"Mi abdomen está tranquilo y cómodo" (cinco veces).

"Mi respiración es profunda y regular" (10 veces).

"Mi corazón late lenta y regularmente" (10 veces).

"Mi frente está fresca" (cinco veces).

"Cuando abra los ojos, estaré relajada y refrescada" (tres veces).

Luego tome un momento para mover un poco los brazos, las manos, las piernas y los pies. Gire la cabeza, abra los ojos y si está acostada, siéntese.

Mientras haga este ejercicio, fíjese en qué es lo que está pasando en su cuerpo, pero no trate conscientemente de analizarlo. Evite autocriticarse si tiene pensamientos que la distraen. Si su mente empieza a vagar, simplemente enfóquela de nuevo en las instrucciones lo más pronto posible.

El Dr. Shaffer sugiere que se hagan sesiones de dos minutos de este ejercicio 10 veces al día. Sea paciente, dicen los expertos, porque en algunos casos la *autogenics* lleva semanas para ser efectiva.

Tensión elimina tensión

Cuando usted se siente estresada, los músculos se contraen naturalmente y crean tensión. ¿Entonces qué puede aliviar eso? Aunque parezca mentira, más tensión, según dicen los proponentes de una técnica llamada relajamiento progresivo.

Al apretar y liberar los músculos sistemáticamente, el relajamiento progresivo puede impedir que el estrés la abrume, dicen los proponentes.

"El relajamiento progresivo es sumamente útil, particularmente si los músculos se sienten tensos y parecen incapaces de relajarse", dice el Dr. Fiore.

Tensar músculos que están en estado de tensión puede parecer un poco extraño, pero el Dr. Fiore dice que el ejercicio adicional en realidad aumenta la circulación de la sangre a los músculos y los ayuda a relajarse más rápidamente que si usted trata de relajarlos.

Desarrollado durante los años 20 por Edmund Jacobson, un médico de Chicago, el relajamiento progresivo se considera una técnica excelente para principiantes porque es práctica y no depende de la imaginación. Las investigaciones sugieren que puede ayudar a aliviar el insomnio, los dolores de cabeza y dolencias digestivas tales como el síndrome del intestino irritable. Los expertos sostienen que también puede aliviar espasmos musculares, dolores de espalda y presión arterial alta.

Hay muchos métodos de relajamiento progresivo, pero la Dra. Davis sugiere este enfoque: apriete el puño derecho tan fuertemente como pueda. Manténgalo apretado por aproximadamente 10 segundos, luego libere completa e inmediatamente la tensión, como si estuviera apagando un interruptor. Toda la tensión debería de salir de su cuerpo. Sienta la flojedad en la mano derecha y fíjese cuánto más relajada se siente ahora que cuando la tensionó. Haga lo mismo con la mano izquierda; luego apriete ambos puños al mismo tiempo. Doble los codos y tensione los brazos. Libere y deje caer los brazos a los lados. Continúe este proceso al tensionar y relajar los hombros y el cuello, luego arrugue y relaje la frente y las cejas. Luego cierre sus ojos y apriete su mandíbula, después tensione y relaje el estómago, la parte inferior de la espalda, las asentaderas, los muslos, las pantorrillas y los pies.

Desperécese en vez de desesperarse

Tal como escribir una carta a una amiga que no ha visto por años, rotar las gomas (llantas) del automóvil o empezar una dieta, estirarse es algo que usted siempre se promete hacer pero nunca hace. Pero no es algo que usted debería dejar para luego, dicen los investigadores, porque estirarse puede calmar la bestia estresada que a veces tenemos por dentro.

"El estiramiento suave promueve el relajamiento", dice Charles Carlson, Ph.D., profesor de Psicología de la Universidad de Kentucky en Lexington. "Fisiológicamente, si usted estira suavemente el músculo, este se relajará. El estiramiento también le da algo en qué concentrar su atención, lo cual le permite calmar la mente".

El estiramiento suave es particularmente bueno para mujeres que tienen dolores musculares crónicos (por ejemplo en el cuello o los hombros) y que tienen dificultad para hacer ejercicios que tensan los músculos con el relajamiento progresivo.

"Pedirle a una mujer con músculos doloridos que los tense solamente crea más dolor", dice el Dr. Carlson. "Nuestro enfoque minimiza la tensión muscular".

El estiramiento se debería hacer siempre lentamente y sin dolor, dice el Dr. Carlson. Evite estirar los músculos demasiado. Mientras esté haciendo una secuencia de estiramientos, piense en cómo se siente la tensión, de manera que aprenderá cuándo necesita estirar o liberar. En cualquier caso, haga una secuencia de estiramientos por lo menos una vez al día. Para instrucciones en cómo hacer tal secuencia, vea las ilustraciones en la página 165.

VITAMINAS Y MINERALES

Suplementos seguros para su salud

Según dicen, las claves para una vida más larga y sana son bastante sencillas: coma bien, haga ejercicio regularmente, maneje el estrés y duerma lo suficiente. Pero del dicho al hecho, hay un buen trecho.

Por ejemplo, consideremos la idea de comer bien. El Instituto Nacional de Cáncer en Rockville, Maryland, recomienda comer cinco porciones de frutas y verduras al día para reducir nuestro riesgo de ciertos tipos de cáncer, pero menos del 10 por ciento de nosotras seguimos ese consejo. Y al no tomar las decisiones apropiadas con respecto a la comida, nuestra alimentación podría estar poniéndonos en el camino hacia el cáncer en vez de protegernos de esta terrible enfermedad.

En cuanto al ejercicio, vamos a ser sinceras. Todas sabemos que no nos ejercitamos suficientemente. Si no hay que hacer esto, hay que hacer lo otro. O tal vez decimos, "Hoy no puedo, estoy que no doy más. Mañana lo haré . . ." Pero nunca lo hacemos y los equipos para quemar grasa y aplanar nuestras pancitas se están llenando de polvo.

¿Y el manejo del estrés? Si casi no podemos manejar el presupuesto, los niños, el trabajo y todo lo demás que nos tiene viviendo ajetreadas, ¿cómo vamos a manejar al estrés?

Estos obstáculos, que impiden a nuestros esfuerzos para vivir bien, pueden ser difíciles de sobrellevar, pero tal vez serían más soportables con una ayuda alimenticia adicional: las pastillas de vitaminas y minerales.

Buenos y baratos

Aproximadamente la mitad de todos los estadounidenses —alrededor de 138 millones de personas— toma vitaminas y minerales diariamente, gastándose aproximadamente 16 mil millones de dólares al año en suplementos alimenticios como vitaminas y hierbas. Pareciera dinero bien invertido, ya que cada vez más pruebas sugieren que altas dosis de ciertos nutrientes pueden ayudar a invertir el proceso natural de envejecimiento y evitar las enfermedades cardíacas, los derrames cerebrales, ciertos tipos de cáncer y otras dolencias.

En los alimentos, hay cientos de compuestos nutritivos llamados fitoquímicos, muchos de los cuales tienen efectos beneficiales para la salud.

Por ejemplo, los investigadores piensan que algunos de los fitoquímicos en las verduras protegen del cáncer pero no están disponibles en suplementos. Por eso es que comer bien es tan importante. Pero muchos nutrientes se encuentran solamente en cantidades muy bajas en los alimentos que ingerimos todos los días. Y algunos nutrientes, tales como el ácido fólico, se absorben mejor en la forma que se usa en suplementos.

"Hay unas pruebas abundantes de que los suplementos tienen efectos beneficiales en la salud de una persona porque ofrecen dosis mucho más grandes de nutrientes clave que los que se encuentran en la comida, a veces cantidades que usted nunca podría obtener sólo de la alimentación", dice Richard Anderson, Ph.D., director científico del Laboratorio de Requerimientos y Funciones de Nutrientes del Centro de Investigación de Nutrición Humana del Departamento de Agricultura de los Estados Unidos en Beltsville, Maryland.

"A menos que esté consumiendo de 4,000 a 5,000 calorías de comidas sanas al día —aproximadamente el doble de lo que consume la mujer común en los Estados Unidos— usted ni siquiera está obteniendo las Asignaciones Dietéticas Recomendadas (las *RDA* por sus siglas en inglés) de varios oligominerales (minerales que se encuentran en cantidades muy pequeñas en los alimentos) y menos todavía en cantidades que pueden ayudar a prevenir y tratar enfermedades".

Los suplementos también pueden ser bastante económicos. Si compra cuidadosamente, por tan poco como nueve centavos al día usted puede tomarse un suplemento multivitamínico y de minerales de marca que provee todos los nutrientes esenciales que obtendría comiendo alimentos sanos durante un día entero. Agregue otros nueve centavos y puede tomar suficiente de las vitaminas C y E en suplementos que posiblemente puedan protegerla del cáncer y las enfermedades cardíacas. Por un poco más, usted puede tomar un suplemento de calcio para prevenir la osteoporosis. En muchos lugares, eso es menos que el costo de una manzana. Por supuesto, algunos suplementos cuestan más, pero generalmente, por menos de un dólar al día usted puede obtener más vitaminas y minerales esenciales de los que podría obtener comiendo alimentos sanos durante un día entero. (Asegúrese de comprar un suplemento natural que no tenga colorantes de comidas, edulcorantes ni otros aditivos).

Además, los suplementos generalmente son seguros, especialmente si no se abusa de ellos. "Es verdad que unos cuantos suplementos, más notablemente las vitaminas A y D, pueden causar algunos problemas si se toman en dosis extremadamente grandes por períodos extensos", dice el Dr. Michael Janson, director del Centro de Medicina Preventiva en Barnstable, Massachusetts. "Pero estamos hablando de dosis extremadamente grandes tomadas diariamente durante un año o dos". Estas son cantidades que pueden estar tanto como 50 veces por encima de las RDA y hasta 10 veces o más por encima de las megadosis sugeridas para terapias de corto plazo para aliviar un problema médico específico.

La historia de las vitaminas

Las vitaminas y minerales —o, en realidad, los alimentos que contienen estos nutrientes— se han usado como terapia por miles de años. Los antiguos egipcios comían el hígado de los gallos para curar la ceguera nocturna producida por deficiencia de la vitamina A; también comían esponjas de mar, una fuente natural de yodo, para tratar bocios.

No fue hasta alrededor del año 1906 que se descubrieron las vitaminas. Lo que provocó la búsqueda de vitaminas fue el hecho de que se descubrió que las grasas, las proteínas y los carbohidratos no eran suficientes para sostener la vida. "Se hizo claro que había algo más en los alimentos que se necesitaba para la sobrevivencia, y con ese descubrimiento empezó la investigación. Ese 'algo más' resultó ser las vitaminas", dice Annette Dickinson, Ph.D., directora de asuntos científicos y regulatorios del Consejo para la Nutrición Responsable en Washington, D. C.

Los científicos trabajaron para aislar los compuestos nutritivos de los alimentos a través de procedimientos químicos complejos. En el año 1912, se inventó el término "*vitamine*" para describir estos compuestos en inglés, lo cual fue cambiado a "*vitamin*" años después y traducido al español como "vitamina".

Ya para el año 1925, los suplementos de vitaminas ya se vendían tanto que las revistas nacionales informaban sobre las cifras de ventas de estas, igual que hacían con las cifras de ventas de los automóviles.

Desde 1906 hasta los años 40, hubo mucha investigación sobre las vitaminas y los suplementos. Las vitaminas fueron nombradas alfabéticamente en el orden en que fueron descubiertas: la primera vitamina que se aisló se llamó A, la siguiente se llamó B, luego C y así sucesivamente, dice la Dra. Dickinson. "Llevó aproximadamente de 20 a 30 años separar los compuestos que eran realmente vitaminas de aquellos que eran algo más". A través de los años, pues, algunas letras fueron eliminadas, y otras se agregaron; esa es la razón por la cual hay ocho vitaminas B.

Las vitaminas y los minerales

Hay por lo menos 13 vitaminas y 15 minerales considerados esenciales para la buena salud. (Para averiguar cuáles son, vea "Lo que usted necesita" en la página 86). Las vitaminas son compuestos orgánicos, lo cual significa que contienen carbón, que se encuentra solamente en las cosas vivas. Los minerales son compuestos inorgánicos más simples y por lo general se encuentran en cantidades más pequeñas en los alimentos. Junto con los ácidos grasos esenciales y los aminoácidos, las vitaminas y los minerales están entre los casi 50 nutrientes esenciales conocidos que necesitamos para una vida sana, dice el Dr. Janson.

Cuatro de esas vitaminas —A, D, E y K— son solubles en grasa, lo cual significa que las cantidades excesivas se pueden almacenar en el cuerpo. Las otras —C y las ocho vitaminas B— son solubles en agua, que quiere decir que las cantidades excesivas simplemente se eliminan con la orina.

Los minerales, la mayoría de los cuales fueron identificados años después de la investigación inicial de las vitaminas, también están clasificados en dos categorías: minerales principales, o macronutrientes, tales como calcio, magnesio y potasio, que se encuentran en concentraciones relativamente altas en los alimentos; y oligoelementos, también conocidos como micronutrientes, tales como cromo, cobre, hierro y cinc, que generalmente se encuentran sólo en pequeñas cantidades.

Todos estos nutrientes son importantísimos para la conservación de la vida. Provengan de los alimentos o de los suplementos, las vitaminas y los minerales juegan un papel en la construcción de las células y en la salud de cada órgano en su cuerpo así como de sus huesos, su inmunidad y su sistema nervioso. Aunque no suministran energía —usted obtiene esto de los carbohidratos, las proteínas y la grasa— liberan energía de los alimentos de manera que su cuerpo pueda usarla.

"Cada célula en su cuerpo necesita cada vitamina, pero no todas las células utilizan las vitaminas de la misma forma o necesitan las mismas cantidades", dice el Dr. Janson. "Por esto, es difícil decir cuáles vitaminas o minerales son los más importantes".

Nuestros defensores naturales

En la línea de batalla, al menos cuando se trata de detener los problemas de salud más comunes de hoy, están los llamados antioxidantes: las vitaminas C y E y el betacaroteno (una forma de la vitamina A). Cuando se toman en dosis lo suficientemente grandes, se cree que estas vitaminas ofrecen protección contra 60 enfermedades relacionadas con el envejecimiento, desde el cáncer y las cataratas hasta las enfermedades cardíacas y el colesterol alto.

¿Cómo es que hacen esto? Simplemente porque acaban con las moléculas tóxicas llamadas radicales libres. Causados por radiaciones, humo de cigarrillos, gases del tubo de escape de automóviles y otros agentes contaminantes, estos radicales libres corroen las células sanas y las vuelven defectuosas en una forma parecida a la en que las células cancerosas hacen estragos en el cuerpo. Con el tiempo, el daño causado por los radicales libres puede provocar el desarrollo del cáncer, convertir el colesterol inofensivo en una placa pegajosa que obstruye las arterias y acelerar el proceso natural de envejecimiento con sus enfermedades acompañantes.

Pero los investigadores dicen que la mejor defensa contra los radicales libres es tomar cantidades suficientes de las vitaminas antioxidantes, lo cual impide a los primeros corroer las células sanas. "Por esto es difícil imaginarse alguien en nuestra sociedad que no podría beneficiarse al tomar suplementos vitamínicos, especialmente aquellos que contienen suficientes antioxidantes", dice el Dr. Michael A. Klaper, un especialista en medicina nutritiva de Pompano Beach, Florida.

"Nosotros vivimos en un mundo bien diferente al de nuestros padres", explica. "El sol es más oxidante por los agujeros en la capa de ozono. Le agregamos más cloro al agua, entonces es más oxidante. Freír, asar y agregar colorantes y conservantes a los alimentos hacen que sean más oxidantes. La triste realidad es que, a menos que tenga la suerte de ser dueña de la cooperativa local de alimentos orgánicos y viva en un área realmente limpia, usted probablemente no obtenga la protección que necesita sólo de su alimentación".

¿A quién le conviene más?

Su necesidad de vitaminas y minerales varía en diferentes etapas de su vida, muchas veces por las variadas formas en que su cuerpo absorbe los nutrientes. Los niños, por ejemplo, absorben aproximadamente el 70 por ciento del calcio que consumen; los adultos absorben sólo un 30 por ciento, aproximadamente. Por eso los suplementos se vuelven más importantes cuando usted envejece.

"Las personas mayores definitivamente se podrían beneficiar con los suplementos, porque una vez que una tenga 60 años de edad, la ingestión de alimentos generalmente disminuye, además de que no somos tan activas como antes", dice Judith S. Stern, R.D., Sc.D., profesora de Nutrición y Medicina Interna en la Universidad de California en Davis.

Aun si se las arregla para mantenerse activa, usted se puede beneficiar con los suplementos. "Ejercicio moderado aumenta la inmunidad, pero si corre más de 3 millas (5 km) por semana o si hace otro montón de ejercicios distintos, usted puede en realidad afectar su inmunidad y volverse más propensa a distintos virus", dice el Dr. Kenneth H. Cooper, fundador y presidente del Centro de Ejercicios Aeróbicos Cooper en Dallas. "Entonces si hace mucho ejercicio, usted debe definitivamente tomar suplementos vitamínicos ricos en antioxidantes". Su recomendación: 1,000 miligramos de vitamina C, 400 unidades internacionales (*IU* por sus siglas en inglés) de vitamina E en la forma natural de alfatocoferol y 15 miligramos (25,000 IU) de betacaroteno cada día.

Otras personas que pueden estar en necesidad especial de suplementos de vitaminas y minerales, según dice la Dra. Stern, son: las mujeres en edad de tener hijos; las embarazadas o las que están amamantando; las que están siguiendo una dieta, especialmente cuando consumen menos de 1,200 calorías al día; las que estén preparándose para cirugía o recuperándose de cirugía; aquellas que toman bebidas alcohólicas con frecuencia; fumadoras; mujeres que viajan mucho y que no pueden comer una variedad de comidas; mujeres que viven en climas con humo y neblina; y, posiblemente, vegetarianas estrictas.

Más allá de las RDA

¿Por qué tantas de nosotras necesitamos suplementos nutritivos de una pastilla o una tableta. . . o bien de muchas de estas? Simplemente por el hecho de que muchas de nosotras basamos nuestras necesidades nutritivas en las Asignaciones Dietéticas Recomendadas (*RDA* por sus siglas en inglés) las cuales fueron establecidas por primera vez por el Consejo de Alimentos y Nutrición en 1941 y actualizadas periódicamente desde entonces. Las RDA son pautas para todas las personas, de niños a adultos, y no toman en consideración necesidades nutritivas especiales. La naturaleza general de las RDA nos puede dejar sin suficientes de los nutrientes que necesitamos, que es la razón por la cual los expertos dicen que somos una sociedad acosada por tantos problemas de salud, entre ellos las afecciones inmunitarias como resfriados (catarros), cortadas de curación lenta y dolencias más serias como la artritis y las enfermedades cardíacas.

"Actualmente las RDA son realmente una pauta inútil, porque fueron diseñadas para prevenir enfermedades de deficiencia como escorbuto y beriberi, problemas que no vemos en este país", dice el Dr. Janson. "Las RDA no son una pauta útil para lograr una salud óptima y para tratar enfermedades, especialmente en la sociedad moderna".

Los cambios en las etiquetas de los alimentos han agregado otro número: la Cantidad Diaria Recomendada (o *DV* por sus siglas en inglés). Como las RDA, la DV es una recomendación de cuánto de un nutriente específico usted necesita en su alimentación diaria para mantener una nutrición adecuada. En las etiquetas de los alimentos, el porcentaje de DV indica el porcentaje de sus necesidades nutritivas diarias provistas por una porción de ese alimento, basado en una alimentación de 2,000 calorías al día. Los suplementos multivitamínicos y de minerales también tienen etiquetas con el porcentaje de las DV. Ni las DV ni las RDA son necesariamente una medida verdadera de lo que usted puede necesitar para tratar o protegerse de una enfermedad.

Por eso, dicen los expertos, usted necesita ir más allá de las RDA, generalmente mucho más allá. "En general, yo diría que las vitaminas en cantidades bien por encima de las RDA son seguras para la mayoría de las personas", dice Gladys Block, Ph.D., profesora de Nutrición y Salud Pública y Epidemiología en la Universidad de California, Berkeley. En realidad, dicen los expertos, los mayores beneficios de algunos nutrientes parecen manifestarse cuando se toman grandes dosis.

"Considere la vitamina C, por ejemplo", dice el Dr. Alan Gaby, especialista en medicina alimenticia y preventiva de Baltimore, Maryland. La RDA de la vitamina C es 60 miligramos al día, aproximadamente la cantidad que usted obtendría en un vaso de jugo de frutas cítricas.

"Usted podría obtener tanto como 500 miligramos si tuviera una alimentación realmente rica en frutas y verduras, pero sería realmente difícil llegar a esa cantidad", explica. "La mayoría de los estudios muestran que la vitamina C ofrece los mejores beneficios —como funcionar como un antihistamínico, matar virus, aumentar la inmunidad y proteger a las personas del cáncer, la diabetes y otras enfermedades— en dosis que varían de 500 a 10,000 miligramos, lo cual usted nunca podría lograr con los alimentos".

La Dra. Block ha revisado más de 100 estudios que examinan la relación entre la vitamina C y el cáncer. En casi todos los estudios, el nutriente tuvo un efecto protector. En la mayoría de los estudios, las personas con una ingestión alta de frutas y verduras que contienen la vitamina C tenían un riesgo menor de padecer cáncer.

Lo mismo ocurre con el betacaroteno, el cual se convierte en vitamina A en el cuerpo cuando es necesario. El betacaroteno es más seguro para tomar en forma de suplemento que la vitamina A porque se deriva de fuentes de plantas y las cantidades excesivas son excretadas (mientras que la vitamina A, que es soluble en grasa, proviene de fuentes animales y las cantidades excesivas son almacenadas en su cuerpo). Los estudios muestran que las personas que toman esta vitamina antioxidante que —también se encuentra en las zanahorias, el *squash*, los melones y otras frutas y verduras amarillas-anaranjadas— en forma de suplemento reducen a la mitad su riesgo de ataques cardíacos y derrames cerebrales en comparación con aquellas que no.

Cuando se toma en dosis de 5 a 10 veces de lo típicamente recomendado, lo cual es aproximadamente 6 miligramos (10,000 IU), el betacaroteno ha mostrado ser muy bueno para reducir lesiones precancerosas en la boca, dice el investigador de cáncer Harinder Garewal, Ph.D., del Centro de Cáncer de la Universidad de Arizona en Tucson.

Mientras tanto, se ha descubierto que la vitamina E ayuda a protegernos contra enfermedades cardíacas, pero solamente cuando se toma en cantidades por lo menos siete veces por encima de la RDA de 8 miligramos de equivalentes alfatocoferol (12 IU) para mujeres, la cual es una cantidad difícil de obtener a través de la alimentación. (Usted tendría que comer 12 manzanas simplemente para obtener la RDA).

"Los estudios muestran que se necesita aún más, entre 400 y 800 IU, para aliviar la enfermedad fibroquística del seno", agrega el Dr. Gaby. "Sería imposible obtener tanta cantidad de la vitamina E de los alimentos solamente".

Los minerales en un mano a mano con la enfermedad

Aunque hoy en día los antioxidantes dominan las secciones de salud en muchos periódicos y revistas, no son los únicos "super suplementos". "En este momento se están realizando investigaciones muy interesantes con los minerales", dice el Dr. Anderson. Y como sucede con los antioxidantes, pareciera que los grandes beneficios vienen con dosis que usted normalmente no puede obtener solamente con los alimentos.

"Un nutriente que he estado investigando es el cromo, un oligoelemento (mineral que se encuentra en cantidades muy pequeñas en los alimentos) que se ha mostrado que puede reducir los factores de riesgo de la diabetes y las enfermedades cardiovasculares en algunas personas", dice. "Mejora la glucosa y la insulina y disminuye el colesterol y los triglicéridos, una forma de grasa sanguínea que ha estado vinculada a un riesgo creciente de enfermedades cardíacas. Cualquiera que recibe la dosis recomendada de 50 microgramos estará bien. Pero si quiere protección contra la diabetes, usted necesita aproximadamente 400 microgramos; si quiere protegerse contra enfermedades cardíacas, necesita 400 microgramos. La investigación también muestra que el cobre y el magnesio pueden protegerla contra la cardiopatía, pero solamente en cantidades que rara vez se obtienen de los alimentos".

Otros expertos dicen que el cinc, un mineral frecuentemente pasado por alto y subestimado que se conoce más por su capacidad de curar heridas y construir tejidos, puede ser aún más importante que los antioxidantes para proteger a las personas de infecciones invasoras y para mantener fuerte el sistema inmunitario. En realidad, uno de los mejores remedios para combatir resfriados (catarros) son las pastillas de glucosa de cinc; estas matan muchos de los gérmenes que causan dolores de garganta y otros síntomas asociados con el resfriado común.

La RDA de cinc es 12 miligramos para mujeres, pero la mayoría de nosotras obtenemos solamente entre 8 y 10 miligramos "y aún menos si somos vegetarianas", dice la Dra. Ananda Prasad, Ph.D., profesora de Medicina en la Universidad de Wayne en Detroit, Michigan.

Entonces, ¿cuánto deberíamos tomar? "Yo diría que aproximadamente 30 miligramos al día, más si padece un problema específico de la piel u otra afección", dice el Dr. Janson, "siempre y cuando, el cinc esté adecuadamente equilibrado con 2 ó 3 miligramos de cobre". Esto es porque el cinc y el cobre interfieren con la absorción de cada uno, dice el Dr. Janson. Demasiado de uno puede causar deficiencia en el otro, de manera que siempre deben complementarse mutuamente.

El selenio es un mineral con calidades antioxidantes que pueden también fortalecer la inmunidad. La investigación muestra que protege contra cardiopatías y cáncer, alivia los síntomas de la artritis y puede hasta mejorar el ánimo. La RDA es 55 microgramos para las mujeres; el Dr. Janson recomienda que se tome hasta seis veces esa cantidad cada día para obtener estos beneficios.

Las vitaminas vitales

En el campo de las vitaminas, la B_6 es otro nutriente que es esencial para una inmunidad fuerte. También ofrece alivio para el síndrome del túnel carpiano, previene cálculos renales y alivia el síndrome premenstrual.

Como si fuera poco, la vitamina B_6 se vuelve aún más importante a medida que usted envejece. Las mujeres mayores parecieran metabolizarla menos efectivamente que las más jóvenes, dice Simin Meydani, Ph.D., director del laboratorio de inmunología nutritiva del Centro de Investigación de Nutrición Humana del Departamento de Agricultura de Estados Unidos en la Universidad Tufts en Boston. Esto puede conducir a una deficiencia de B_6, y tal deficiencia puede afectar la inmunidad.

El Dr. Janson recomienda que se tomen de 50 a 100 miligramos de la vitamina B_6 al día, bien por encima de la RDA de 2 miligramos para hombres y 1.6 miligramos para mujeres.

En conclusión: no importa cuál sea su edad, estilo de vida o hábitos de ejercicios, la mayoría de las mujeres se pueden beneficiar si complementan su alimentación con vitaminas y minerales, dicen los expertos.

"Usted no puede reemplazar una alimentación sana con suplementos de vitaminas y minerales; todavía tiene que comer bien y adecuadamente", dice el Dr. Janson. "Pero con los suplementos, puede compensar algunas de las faltas de una alimentación deficiente, y la mayoría de las personas tenemos deficiencias en nuestra alimentación".

Igual que la alimentación, el ejercicio y el manejo del estrés, los suplementos son solamente parte de un plan de salud total, no pastillas mágicas que pueden reparar los efectos de sus otros malos hábitos. "No importa cuánto les pido a mis pacientes que sigan una mejor alimentación, muchas preferirían tomar pastillas porque es más fácil", dice el Dr. Janson. "Lo siento, pero los suplementos son solamente una parte".

De todos modos, estos pueden tener un impacto significativo, agrega. "Si usted ahora está sana y se siente bien, sus niveles de energía son altos, no tiene problemas con el aguante físico cuando está haciendo ejercicio y sus procesos mentales son claros, entonces no creo que deba esperar efectos obvios inmediatos de los suplementos, aparte de mantenerse así por muchos años más que si no los hubiera tomado".

(*Nota:* Para conseguir los remedios naturales recomendados en este capítulo, consulte la lista de tiendas en la página 170).

LO QUE USTED NECESITA

He aquí cuánto necesita usted diariamente de la mayoría de las vitaminas y minerales esenciales, en qué alimentos se encuentran y qué efecto tienen en su cuerpo.

Nutriente	**RDA para mujeres**	**DV**
Vitaminas		
Vitamina A	800 mcg o 4,000 IU* (1,300 mcg RE o 6,500 IU* si está amamantando)	5,000 IU*
Vitaminas B		
Tiamina	1.1 mg (1.5 mg si está embarazada; 1.6 mg si está amamantando)	1.5 mg
Riboflavina	1.3 mg (1.6 mg si está embarazada; 1.8 mg si está amamantando)	1.7 mg
Niacina	15 mg (17 mg si está embarazada; 20 mg si está amamantando)	20 mg
Vitamina B_6	1.6 mg (2.2 mg si está embarazada; 2.1 mg si está amamantando)	2.0 mg
Folato (ácido fólico)	180 mcg (400 mcg si está embrarazada 280 mcg si está amamantando)	0.4 mg (400 mcg)

Beneficio	Fuentes alimenticias
Necesaria para visión normal con poca luz; mantiene normal la estructura y función de las membranas mucosas; ayuda al crecimiento de huesos, dientes y piel	Zanahorias, calabazas, batatas dulces (camotes, *sweet potatoes*), espinaca, squash, atún, cantaloup, mangos, albaricoques (chabacanos), brócoli, sandía
Metabolismo de carbohidratos; mantiene sano el sistema nervioso	Carne de cerdo, germen de trigo, pasta, cacahuates (maníes), legumbres,sandías, naranjas (chinas), arroz integral, huevos
Metabolismo de grasas, proteínas y carbohidratos; piel saludable	Leche, requesón, aguacates (paltas), mandarinas, ciruelas pasas, espárragos, brócoli, hongos, carne de res, salmón, pavo
Metabolismo de grasas, proteínas y carbohidratos; función del sistema nervioso; necesario para el uso del oxígeno por parte de las células	Carnes, carne de ave, pescado, crema de cacahuate, legumbres, soya, cereales y panes integrales, brócoli, espárragos, papas horneadas
Metabolismo de proteínas; necesario para crecimiento normal	Pescado, soya, aguacates, habas blancas, pollo, plátanos amarillos, (guineos), coliflor, pimientos (ajíes, pimientos morrones) verdes, papas, espinaca, pasas
Desarrollo de glóbulos rojos; crecimiento y reparación de tejidos	Legumbres, carne de ave, atún, germen de trigo, hongos, naranjas, espárragos, brócoli, espinaca, plátanos amarillos, fresas, cantaloup

(continúa)

LO QUE USTED NECESITA (CONTINUACIÓN)

Nutriente	RDA para mujeres	DV
Vitaminas (Continuación)		
Vitamina B_{12}	2.0 mcg (2.2 mcg si está embarazada; 2.6 mcg si está amamantando)	6.0 mcg
Biotina	30–100 mcg† (300 mcg)	0.3 mg
Ácido pantoténico	4–7 mg†	10 mg
Vitamina C	60 mg (70 mg si está embarazada; 95 mg si está amamantando)	60 mg
Vitamina D	5 mcg (10 mcg si está embarazada o amamantando)	400 IU*
Vitamina E	8 mg alfa-TE o 12 IU (10 mg alfa-TE o 15 IU* si está embarazada; 12 mg alfa-TE o 18 IU si está amamantando)	30 IU*
Vitamina K	65 mcg	Ninguno
Minerales		
Calcio	800 mg (1,200 mg si está embarazada o amamantando)	1 g (1,000 mg)

Beneficio	Fuentes alimenticias
Necesaria para el crecimiento de nuevos tejidos, glóbulos rojos, sistema nervioso y piel	Salmón, huevos, queso, pez espada, atún, almejas, cangrejo, mejillones, ostras (ostiones)
Metabolismo de grasas, proteínas y carbohidratos	Crema de cacahuate, huevos, avena, germen de trigo, carne de ave, coliflor
Metabolismo de grasas, proteínas y carbohidratos	Pescado, cereales integrales, hongos, aguacates, brócoli, cacahuates, anacardos, lentejas, soya, huevos
Construye colágeno; mantiene sanas las encías, la dentadura y los vasos sanguíneos	Naranjas, toronjas, pimientos, fresas, tomates, espinaca, repollo, melones, brócoli, kiwi
Absorción de calcio; crecimiento de huesos y dientes	Luz solar, huevos, leche, mantequilla, atún, salmón, cereales, productos horneados (si se usa harina fortificada)
Protege a las células de daños	Aceites vegetales y de frutos secos, germen de trigo, mangos, zarzamoras, manzanas, brócoli, cacahuates, espinaca, panes integrales
Coagulación de la sangre	Espinaca, brócoli, col de Brúselas, perejil, huevos, productos lácteos, zanahorias, aguacates, tomates
Huesos y dientes fuertes: función muscular y nerviosa; coagulación de la sangre	Leche, queso, yogur, salmón y sardinas con huesos, brócoli, habichuelas verdes (ejotes, *green beans*), almendras, nabo, jugo de naranja fortificado

(continúa)

LO QUE USTED NECESITA (CONTINUACIÓN)

Nutriente	RDA para mujeres	DV
Minerales (Continuación)		
Cinc	12 mg (15 mg si está embarazada; 19 mg si está amamantando)	15 mg
Cloruro	750 mg**	Ninguno
Cobre	1.5–3.0 mg†	2.0 mg
Cromo	50–200 mcg†	Ninguno
Fluoruro	1.5–4.0 mg†	Ninguno
Fósforo	800 mg (1,200 mg si está embarazada o amamantando)	1 g (1,000 mg)
Hierro	15 mg (30 mg si está embarazada)	18 mg
Magnesio	280 mg (320 mg si está embarazada; 355 mg si está amamantando)	400 mg
Manganeso	2.0–5.0 mg†	Ninguno
Molibdeno	75–250 mcg†	Ninguno

Beneficio	Fuentes alimenticias
Curación de heridas; crecimiento; apetito; producción de espermas	Ostras, carne de res magra, germen de trigo, mariscos, habas blancas, legumbres, frutos secos, carne de aves, productos lácteos
Ayuda la digestión, funciona con sodio para mantener equilibrio de líquidos	Alimentos con sal
Formación de células sanguíneas y de tejido conectivo	Ostras y otros mariscos, frutos secos, cerezas, cocoa, hongos, cereales integrales, huevos, pescado, legumbres
Metabolismo de carbohidratos	Cereales integrales, brócoli, jugo de uvas, jugo de naranja, azúcar morena, carnes, pimienta negra, levadura de cerveza, queso
Fortalece el esmalte de la dentadura	Agua fluororizada, pescado, té
Metabolismo de energía; con calcio fortalece huesos y dentadura	Carnes, pescado, carnes de ave, huevos, productos lácteos, cereales
Lleva el oxígeno en la sangre; metabolismo de la energía	Almejas, espárragos, carnes, pollo, ciruelas secas, pasas, espinaca, semillas de calabaza, soya, *tofu*
Ayuda la función muscular y nerviosa; huesos fuertes	Melado, frutos secos, espinaca, germen de trigo,papas cocidas, brócoli, plátanos amarillos, productos lácteos
Formación de huesos y tejidos conectores; metabolismo de grasas y carbohidratos	Frutos secos, cereales integrales, legumbres, té, frutas secas, verduras de hojas verdes
Metabolismo de nitrógeno	Legumbres, carnes, cereales integrales, panes, leche y productos lácteos

(continúa)

LO QUE USTED NECESITA (CONTINUACIÓN)

Nutriente	RDA para mujeres	DV
Minerales (Continuación)		
Potasio	2,000 mg**	3,500 mg
Selenio	55 mcg (65 mcg si está embarazada; 75 mcg si está amamantando)	Ninguno
Sodio	500 mg**	2,400 mg
Yodo	150 mcg (175 mcg si está embarazada; 200 mcg si está amamantando)	150 mcg

*Unidades internacionales

†El Valor es el Consumo Diario Aproximado Seguro y Adecuado. No hay RDA para este nutriente.

**El Valor es el Requerimiento Mínimo Aproximado. No hay RDA para este nutriente.

Beneficio	Fuentes alimenticias
Controla el equilibrio de ácidos en el cuerpo; con el sodio mantiene el equilibrio de líquidos	Papas cocidas, aguacates, frutas secas, yogur, cantaloup, espinaca, plátanos amarillos
Ayuda a la vitamina E a proteger las células y los tejidos del cuerpo	Carnes, cereales integrales, productos lácteos, pescado, mariscos, hongos
Equilibrio de líquidos; función del sistema nervioso	Sal, alimentos procesados, salsa de soya, condimentos
Mantiene la adecuada función de la tiroides	Espinaca, langosta, camarones, ostras, leche, sal yodada

SEGUNDA PARTE

REMEDIOS NATURALES PARA 25 PROBLEMAS DE LA SALUD

ACNÉ

Antes se pensaba que el acné sólo afectaba a los adolescentes que se hartaban de hamburguesas, papas fritas y pizzas grasosas, pero ahora se reconoce como un problema para los adultos también, sin importar lo que coman.

A pesar de lo que sus amigas le hayan dicho, los brotes de acné no son producto de la falta de higiene o de una mala alimentación. En la raíz del problema existe una producción excesiva de secreción sebácea, que es una sustancia cerosa que obstruye los poros y provoca la aparición de granos (barros). En los adolescentes, esta sobrecarga de secreción sebácea es causada por la explosión hormonal que se conoce como pubertad. En los adultos, puede producirse como resultado de herencia, estrés y, en el caso de las mujeres, por las fluctuaciones hormonales mensuales.

Entonces, ¿qué debe hacer usted cuando su piel se le pone problemática? Primero que nada, cuídela como gallo fino. Debe evitar los jabones ásperos y lavarse la cara suavemente, no como si fregara un plato. No debe usar los cosméticos a base de aceites, los cuales pueden obstruir los poros y causar brotes. Los remedios naturales en este capítulo —usados con higiene diaria y la aprobación de su dermatólogo— pueden ayudar a prevenir o aliviar el acné, de acuerdo con algunos profesionales de salud.

Consulte al médico cuando. . .

- **Su piel se vuelva severamente inflamada, con un aspecto rojizo o morado.**
- **Haya probado medicinas de venta libre y no hayan dado ningún resultado.**
- **Los granos formen cicatrices después de curarse.**

Alimentos

El acné se puede producir como resultado de una alimentación inadecuada, dice el Dr. Elson Haas, director del Centro de Medicina Preventiva de Marín en San Rafael, California. El recomienda seguir una dieta de desintoxicación durante 3 semanas (vea "Cómo desintoxicarse" en la página 18).

"Para algunas personas el acné puede ser provocado porque son sensibles al azúcar, el trigo y el chocolate, es decir, alimentos que son más irritantes de ácido en el cuerpo", afirma. "Lo que ocurre es que estos alimentos pueden causar más mucosidad y pus en los folículos del cabello y obstruir los poros. En otros casos, puede ser el resultado de fermentos intestinales y cuando usted deja de comer quesos y productos horneados, azúcar y otros alimentos productores de fermentos, el acné desaparece".

El Dr. Haas también recomienda comer alimentos ricos en betacaroteno, tales como zanahorias, calabazas, cantaloup y otras frutas y verduras amarillas-anaranjadas.

Hierbas

Tome aceite de semilla de pasa de corinto (*black currant seed oil*) o aceite de prímula (primavera) nocturna (*evening primrose oil*), ambos disponibles en forma de cápsula en la mayoría de las tiendas de productos naturales, dice Rosemary Gladstar, una herbolaria de Barre, Vermont. Según Gladstar, la dosis estándar para adultos de estas dos hierbas es tres cápsulas de 500 miligramos al día. Ella recomienda tomar esta dosis diariamente durante 3 meses o hasta que el acné desaparezca. El aceite de semilla de pasa de corinto es menos caro que el aceite de prímula nocturna y funciona igualmente bien, explica.

Homeopatía

En casos severos, el acné debe ser tratado individualmente por un médico o un homeópata, dice la Dra. Maesimund Panos, una homeópata de Tipp City, Ohio. Sin embargo, para un brote suave y ocasional, sugiere que se prueben los siguientes remedios.

Si el acné le produce picazón, dificultad para dormir o sueños desagradables, pruebe *Kali bromatum* en una dosis de 6X tres veces diarias hasta que note una mejoría, dice la Dra. Panos. Una dosis similar de *Sulphur* puede disminuir el acné en una persona que suda mucho, tiene piel dura y áspera y sufre de estreñimiento con frecuencia, agrega. Si usted tiene granos llenos de pus, la Dra. Panos sugiere una dosis de 6X de *Antimonium tartaricum* tres veces al día hasta que advierta una mejoría.

Jugos

"El acné es un signo de que los órganos de excreción no están funcionando correctamente", dice Elaine Gillaspie, N.D., una naturópata de

Portland, Oregon. Ella recomienda que se estimule el hígado con una mezcla de una parte de jugo de remolacha (betabel), tres partes de jugo de zanahorias y dos partes de agua para ayudar a limpiar la tez desde adentro hacia afuera.

Para información sobre técnicas para hacer jugos, vea la página 50.

Vitaminas y minerales

Use la dieta de sensibilidad a los alimentos (vea "Sensibilidad a las comidas: Comidas 'sanas' que enferman" en la página 22) para eliminar todo alimento que pueda jugar un papel en la causa del problema, sugiere el Dr. David Edelberg, internista y director médico del Centro Holístico Estadounidense en Chicago, Illinois. También dice que las mujeres con acné pueden adoptar el siguiente régimen de vitaminas y minerales para ayudar a controlar los brotes: 250 miligramos de picolinato de cinc dos veces al día; dos miligramos de cobre al día; 400 unidades internacionales (*IU* por sus siglas en inglés) de vitamina E dos veces al día y 150,000 IU de vitamina A al día durante 3 meses. Luego debe reducir la dosis de vitamina A a 10,000 IU al día.

(*Nota:* Para conseguir los remedios naturales recomendados en este capítulo, consulte la lista de tiendas en la página 170).

ANEMIA

Si usted encuentra que últimamente se le ha estado pegando la sábana por más que suene su despertador, lo más probable es que con acostarse un poco más temprano solucionará el problema. Pero si ninguna cantidad de descanso ayuda, quizá no sean horas de sueño lo que su cuerpo necesite. Puede que usted padezca algún tipo de anemia.

La anemia le mina de energía al privar a sus células de oxígeno. Esto ocurre cuando su sangre tiene muy pocos glóbulos rojos o no tiene suficiente hemoglobina, una proteína en los glóbulos rojos que transporta oxígeno a través del torrente sanguíneo. La anemia puede ser el síntoma de muchos problemas serios distintos, inclusive cáncer. Pero millones de estadounidenses sufren de anemia por deficiencia de hierro, que es menos seria y que ocurre generalmente por pérdida de sangre a causa de una herida, una úlcera, hemorroides, menstruación excesiva o las exigencias físicas del embarazo. De acuerdo con las Asignaciones Dietéticas Recomendadas, las mujeres necesitan 15 miligramos de hierro al día.

Hay otro tipo de anemia, menos común, que es la anemia por deficiencia nutritiva, la cual puede ser causada por una falta de folato y la vitamina B_{12}. Usted necesitará consultar a su médico para determinar la causa de su anemia y el curso de acción apropiado.

Los remedios naturales en este capítulo —usados en conjunto con cuidado médico y la aprobación de su doctor— pueden proporcionar alivio a la anemia provocada por una deficiencia nutritiva y deficiencia de hierro, de acuerdo con algunos profesionales de salud.

Consulte al médico cuando. . .

- **No sea capaz de hacer sus actividades físicas usuales.**
- **Se sienta desanimada durante más de 5 días.**
- **Su piel esté pálida y se sienta débil, cansada y le falte el aire.**
- **Experimente fatiga al esforzarse.**
- **Su piel muestre ictericia.**
- **Tenga hemorragia debajo de la piel y hematomas en respuesta al trauma más leve.**

Alimentos

La anemia puede ocurrir a causa de una deficiencia de hierro o por una deficiencia de la vitamina B_{12} y folato, dice el Dr. Julian Whitaker, fundador y presidente del Whitaker Wellness Center, un centro de bienestar en Newport Beach, California. "Lo primero que usted debe determinar es qué tipo de anemia tiene".

Después de que haya ido con el médico para un diagnóstico inicial, el Dr. Whitaker sugiere que coma más de los alimentos ricos en los nutrientes que usted necesita. Las verduras con hojas de color verde oscuro son buenas fuentes de hierro absorbible, dice el Dr. Whitaker. Él también recomienda salmón y caballa como buenas fuentes de vitamina B_{12} y para obtener más folato, frijoles (habichuelas) y lentejas. (Para más buenas fuentes de estos nutrientes, vea "Lo que usted necesita" en la página 86).

Jugos

Los jugos pueden ayudar a corregir los desequilibrios nutritivos que llevan a la anemia, dice Cherie Calbom, M.S., una nutricionista certificada de Kirkland, Washington. Coma más verduras ricas en hierro, tales como el perejil y las hojas verdes de la remolacha (betabel), dice Calbom. Ella recomienda mezclar estos jugos ricos en hierro con jugos que tengan alto contenido de la vitamina C para una máxima absorción de hierro. “Bróculi, col rizada y perejil funcionan tan bien como las fuentes más conocidas de la vitamina C, tales como pimientos (ajíes, pimientos morrones), fresas y cítricos”, dice Calbom.

Los jugos también ayudan a combatir la anemia por deficiencia de folato, agrega Calbom. “Yo le sugiero a las personas con este problema que incluyan espárragos, espinaca y col rizada en sus jugos diarios”.

Para información sobre técnicas para hacer jugos, vea la página 50.

Vitaminas y minerales

Para la anemia por deficiencia nutritiva, tome un miligramo de vitamina B_{12} y 400 miligramos de ácido fólico al día, aconseja el Dr. Whitaker. Para la anemia por deficiencia de hierro, el Dr. Whitaker dice que cualquier suplemento multivitamínico y de minerales que contenga hierro puede ayudarla.

(*Nota:* Para conseguir los remedios naturales recomendados en este capítulo, consulte la lista de tiendas en la página 170).

ARRUGAS

¿Se acuerda cuando su mamá le decía que no hiciera esas muecas porque la cara se le iba a quedar arrugada? Bueno, parece que ella tenía razón. A lo largo de los años, la piel desarrolla una “memoria” de los movimientos faciales más comunes, entre ellos entrecerrar los ojos, fruncir el ceño y levantar las cejas. El resultado, lamentablemente, son las arrugas.

Otras cosas causan arrugas también. Todo aquello que le quita humedad a su piel, como lavarse la cara o usar demasiados astringentes, puede crear problemas. Pero el peor de los enemigos es la exposición excesiva a los rayos ultravioleta del Sol. Los expertos recomiendan usar un filtro solar con un factor de protección solar (*SPF* por sus siglas en inglés) de 15 sobre la piel expuesta cada vez que salga. Los remedios naturales en este capítulo —usados con la aprobación de su médico— pueden ayudar a prevenir o mejorar el problema de las arrugas, de acuerdo con algunos profesionales de salud.

Consulte al médico cuando...

- **Sus arrugas realmente le molesten e interfieran con la forma en que usted se siente con respecto a su apariencia.**

Aromatoterapia

Para minimizar su apariencia y prevenir nuevas arrugas, Victoria Edwards, una aromatoterapeuta de Fair Oaks, California, sugiere un aceite facial que descubrió por casualidad que revitaliza la piel. "Cuando mi hija tuvo varicela, lo inventé para que no le quedaran cicatrices en la piel, pero descubrí que es también excelente para la *mía*", explica.

Para prepararlo, dice Edwards, agregue una gota de aceite esencial de rosa y dos gotas de aceite esencial *everlast* (también llamado *immortelle* o *helichrysum*) a 1 onza (30 ml) de aceite esencial de semilla de rosa (*rose hip seed oil*). Ella recomienda guardar la mezcla en una botella de vidrio oscuro y aplicársela todas las mañanas, inmediatamente después de limpiarse el cutis. Esta mezcla tiene un aroma agradable y mantiene la piel hidratada, de acuerdo a Edwards.

"Es un poco caro de preparar por el aceite de rosa", admite la aromatoterapeuta. "Pero una provisión para 6 meses costará menos de $100, lo cual es menos de lo que muchas mujeres pagan en las tiendas de cosméticos por productos que no dan los resultados que se supone tienen que dar".

Para información sobre cómo preparar y administrar aceites esenciales, más precauciones sobre su uso, vea la página 25.

Masaje

Dos rutinas diarias de automasaje pueden revitalizar y relajar el tejido facial y el cutis, dice Monika Struna, una autora de libros sobre técnicas de masajes. La primera, llamada palmaditas, se hace mientras usted se para con los pies separados a una distancia de aproximadamente 1 pie (30 cm). Inclínese hacia adelante levemente a la altura de la cintura para lograr equilibrio. Luego empiece a dar palmaditas a su cara como si estuviera cacheteándola suavemente con la parte interior de los dedos. Trabaje en el lado izquierdo de la cara con su mano izquierda y en el lado derecho con la mano derecha. Siga dándole palmaditas a sus mejillas y los lados de la cara por 15 ó 20 segundos.

La segunda técnica se conoce como la "liberación de arrugas". Coloque las yemas de los dedos de su mano derecha en el centro derecho de la frente y las yemas de los dedos de la mano izquierda en el centro izquierdo de la frente. Aplique una presión moderada, de manera que pueda sentir la capa del tejido que está situado debajo de la piel exterior. Luego mueva los dedos hacia adelante y hacia atrás como lo haría si estuviera lavándose el cabello. Tenga cuidado y no mueva los dedos muy lejos y estire la piel. Haga esto por pocos segundos, luego mueva los dedos por la frente para bajar los costados de la cara y los pómulos. Siga moviendo las manos sobre la cara, bajándolas hacia el lado izquierdo con la mano izquierda y hacia el lado derecho con la mano derecha. Struna dice que esto sirve de ayuda para relajar y revitalizar el tejido debajo de la piel, donde empiezan las arrugas. Siga haciéndolo por 30 ó 60 segundos.

(*Nota:* Para conseguir los remedios naturales recomendados en este capítulo, consulte la lista de tiendas en la página 170).

CABELLO Y CUTIS GRASOSOS

Tal vez pensó que este problema lo dejó atrás con los otros problemas de la adolescencia, como la lucha con la tarea, tener que estar en casa a una hora "decente", cómo comunicarse con ese chico que la dejaba sin aliento, y las otras piedras en el camino hacia la madurez. Pero este problemita se ha quedado con usted como un perro fiel. ¿El resultado de andar con este maldito "compañero"? Cabello lacio y sin vida causado por la grasa que se le adhiere y lo achata, además de esas áreas brillantes en su cara donde se acumula la grasa.

La raíz del problema está en las glándulas sebáceas, que se encuentran justo debajo de la superficie de la piel. En algunas personas, estas glándulas producen un exceso de sebo, el cual fluye a través de los poros y se instala en su cabello y en su cutis. El cabello y el cutis grasosos son generalmente problemas hereditarios, dicen los expertos. Los remedios naturales en este capítulo —usados con la aprobación de su médico— pueden ayudar a prevenir o tratar el cabello y el cutis grasosos, de acuerdo con algunos profesionales de salud.

Consulte al médico cuando. . .

- **Su cabello es extremadamente grasoso y es acompañado por acné, vellosidad en exceso o pérdida del cabello.**

Alimentos

Su cutis refleja su alimentación. Se ha demostrado que aumentar el consumo de aceites saludables, como el de semilla de lino (linaza, *flaxseed*), que es rico en ácidos grasos omega-3 esenciales, ayuda a mejorar muchas afecciones de la piel, incluyendo el cutis grasoso, comenta Jennifer Brett, N.D., una naturópata de Stratford, Connecticut. Consumir este tipo de aceite a diario ayuda a normalizar la producción de sebo. Tome una cucharada a diario.

Compre el aceite fresco de semilla de lino que haya sido prensado en frío, refrigerado y empacado en una botella oscura (Dirá "*cold pressed flaxseed oil*" en la etiqueta). Ya que este aceite se vuelve rancio rápido al ser expuesto al calor o la luz, no puede usarlo para cocinar. En cambio, mézclelo con jugo por la mañana o rocíelo sobre una ensalada o verduras.

Otro alimento que es bueno para el cutis grasoso es la avena. Pero no se come, sino que se utiliza en un limpiador facial. Los limpiadores "se utilizan de la misma manera que el agua y el jabón, pero a diferencia de estos, dejan el cutis más suave y remueven menos de sus aceites protectores", dice Dina Falconi, una herbolaria de Nueva York. "Si usted generalmente utiliza jabón para lavarse la cara, quizá quiera sustituirlo con un limpiador, ya que estos no contienen detergentes ásperos o aromas artificiales", explica.

La siguiente receta para un limpiador a base de cereal fue desarrollada por Falconi. Absorbe el exceso de grasa y ayuda a eliminar las células muertas que tapan los poros. Para preparar de tres a cuatro aplicaciones, muela y cierne 2 cucharaditas de avena, arroz integral u otro cereal. Por cada aplicación, humedezca —en el líquido de su elección— 1 a 2 cucharaditas del cereal para hacer una pasta. Aplíquela suavemente sobre su cutis, masajeándosela con las yemas de los dedos por aproximadamente un minuto. “Si frota muy fuerte o por mucho tiempo irritará el cutis, que es delicado”, apunta Falconi. Después lávese la cara con agua tibia.

Aromatoterapia

La mejor manera de controlar el cutis grasoso puede ser echarle aceite, es decir, aceite esencial, de acuerdo con John Steele, un consultor de aromatoterapia de Los Ángeles, California. “Los aceites esenciales no tienen la consistencia grasosa que asociamos con la palabra *aceite*”, explica. “Estos son muy livianos y se absorben rápidamente en el cutis”. Para hacer un aceite facial purificador que sea lo suficientemente suave para el cutis grasoso, Steele sugiere agregar dos gotas de aceite esencial de limoncillo (*lemongrass*) a ½ onza (15 ml) de un aceite portador como el de albaricoque (chabacano, damasco, *apricot*) o avellana (disponibles en la mayoría de las tiendas de productos naturales) y aplicar la mezcla en la cara después de cada limpieza. “El limoncillo tiene propiedades antibacterianas y es sumamente efectivo para desengrasar el cutis y controlar la actividad excesiva de las glándulas sebáceas”, dice Steele. No use más de dos gotas de este aceite esencial, ya que puede irritar el cutis sensible.

Los aceites esenciales también se pueden usar para el cuidado del cabello grasoso, dice Jeanne Rose, una herbolaria de San Francisco, California. Para aumentar el poder limpiador del champú que usted normalmente usa, recomienda agregar 8 gotas del aceite esencial de geranio de rosa (*rose geranium*) y 8 gotas del aceite esencial de limoncillo a una botella de 8 onzas (240 ml).

Para información sobre cómo preparar y administrar aceites esenciales más precauciones sobre su uso, vea la página 25.

Hierbas

El hamamelis, un sencillo tonificador que probablemente usaba su abuelita, es un excelente astringente, dice la Dra. Brett. Si se emplea a diario, mata las bacterias del cutis y ayuda a remover el exceso de grasa y las células muertas. Ahora bien, dado que seca el cutis bastante, no lo use a diario por más de dos a 3 semanas. Después de esas semanas iniciales la naturópata recomienda aplicarlo sólo una vez al día seguido por un humectante ligero. Puede seguir este régimen de manera indefinida, dice la Dra. Brett.

Homeopatía

Aunque puede ser que se necesite un tratamiento personal indicado por un médico u homeópata para controlar el cabello y el cutis grasosos, pruebe primero estos remedios en dosis 6C, indica el Dr. Andrew Lockie, un homeópata y autor de libros sobre esta materia. Él sugiere tomar uno de los siguientes remedios cada 12 horas. Si no nota una mejoría en un mes, vaya con su médico u homeópata.

Si tiene el cabello grasoso, el Dr. Lockie sugiere que primero pruebe *Bryonia*. Si eso no da resultado, quizá tenga que probar un remedio más específico como *Mercurius*, que ayuda a las personas que tienen cabello grasoso, una sensación sudorosa y apretada en el cuero cabelludo, saliva excesiva e intolerancia al frío y al calor. Si su cabello es grasoso y fino, particularmente después de un período extenso de estrés o pena, pruebe *Phosphoricum acidum*, explica el Dr. Lockie.

Si tiene piel brillante y grasosa que es peor en las partes vellosas de su cuerpo y se siente estreñida, el Dr. Lockie recomienda *Natrum muriaticum*. *Mercurius* es un buen remedio para una persona temblorosa que tiene sudor pegajoso, creciente producción de saliva y una capa grasosa desagradable en la cara que empeora en climas fríos y calientes.

(*Nota:* Para conseguir los remedios naturales recomendados en este capítulo, consulte la lista de tiendas en la página 170).

CABELLO Y PIEL SECOS

Aunque se encuentra en su casa leyendo este libro cómodamente en su sillón, usted está empapada hasta los huesos. ¿Por qué? Está más claro que el agua, ya que esta constituye el 60 por ciento del peso del adulto común y más del 70 por ciento del tejido no adiposo, como la piel. Pero a pesar de esto, muchas cosas que nos rodean nos mantienen en sequía.

Los radiadores de calefacción, los secadores de pelo, los jabones desodorantes y los deshumectadores pueden quitarle la humedad que usted necesita tan desesperadamente. Esto le puede dejar su cabello quebradizo y su piel escamosa y seca. Los remedios naturales en este capítulo —usados con la aprobación de su médico— pueden ayudar a aliviar el cabello y la piel secos, de acuerdo con algunos profesionales de salud.

Consulte al médico cuando. . .

- **Tenga costras, áreas rojas, supuraciones u otros signos de irritación.**

Alimentos

"Coma pescado por lo menos dos veces a la semana", sugiere el farmaceuta Earl Mindell, R.Ph., Ph.D., profesor de Nutrición en la Universidad Pacific Western en Los Ángeles, Calfornia. El aceite en el salmón, el arenque y otros pescados de aguas frías es rico en ácidos grasos omega-3, los cuales ayudan a restaurar la humedad perdida en la piel y el cabello, según el Dr. Mindell.

Hasta dos cucharadas de aceite de semilla de lino (aceite de linaza, *flaxseed oil*) al día pueden también ayudar a restaurar la humedad en la piel y el cabello, dice el Dr. Julian Whitaker, fundador y presidente del Whitaker Wellness Center, un centro de bienestar en Newport Beach, California. Tiene sabor a mantequilla, de manera que lo puede echar en las palomitas (rositas) de maíz, las papas y otros alimentos que usted condimentaría normalmente con mantequilla. El aceite de semilla de lino se puede adquirir en la mayoría de las tiendas de productos naturales.

Aromatoterapia

Para ayudar a que una piel crónicamente seca retenga más de su humedad natural, Victoria Edwards, una aromatoterapeuta de Fair Oaks, California, recomienda para la cara y el cuerpo una mezcla que consiste en 2 onzas (60 ml) de un aceite portador como el de almendra, oliva o sésamo (ajonjolí) con 10 gotas de cada uno de los siguientes aceites esenciales: lavanda (espliego, alhucema, *lavender*), manzanilla romana, nerolí, romero y semilla de zanahoria. (Los aceites portadores se pueden adquirir en la mayoría de las tiendas de productos naturales). Aplíquese el aceite una vez al día después de un baño o una ducha, mientras su piel esté todavía levemente húmeda, dice Edwards.

Para hacer que el cabello seco sea más sedoso y manejable, agregue 6 gotas de cada uno de los aceites esenciales de lavanda, laurel y sándalo (*sandalwood*) a 6 onzas (180 ml) de aceite tibio de sésamo o de soya, sugiere Judith Jackson, una aromatoterapeuta de Greenwich, Connecticut. (El aceite de soya también se puede conseguir en la mayoría de las tiendas de productos naturales). Para aplicar el aceite, dice Jackson, separe su cabello en secciones de dos centímetros y medio y aplique la mezcla en el cuero cabelludo con un pedazo de algodón. Envuelva su cabeza en una toalla y deje que los aceites penetren por aproximadamente 15 minutos, luego aplique champú y lave dos veces, explica.

Para información sobre cómo preparar y administrar aceites esenciales más precauciones sobre su uso, vea la página 25.

Hierbas

La combinación de glicerina y agua de rosas es un remedio antiguo y un humectante perfecto, particularmente para las personas con piel seca, dice Marcey Shapiro, M.D., una doctora familiar de Albany, California, quien combina las terapias naturales con la medicina convencional. "Probablemente es el humectante más suave que pueda encontrar", comenta. Dado que es soluble en agua, la glicerina suaviza la piel, mientras que los aceites fragantes contenidos en el agua de rosas son balsámicos. Después de limpiar y humedecer su cutis, aplique esta mezcla con los dedos dos veces al día.

También puede probar una crema de caléndula. La acción antiséptica suave de esta hierba calma la piel inflamada y acelera la curación, afirma Alan M. Dattner, M.D., un dermatólogo holístico de New Rochelle, Nueva York. Dattner frecuentemente les receta a sus pacientes con piel seca un ungüento (pomada) de caléndula formulada por un herbolario que trabaja con él. "Al usarlo, usted evita todas las sustancias químicas que contienen las cremas comerciales", apunta.

Este ungüento es muy fácil de preparar. Ponga ½ taza de flores secas de caléndula (que puede conseguir en las tiendas de productos naturales) en una licuadora (batidora) con 8 onzas (240 ml) de aceite de oliva o de almendra. Licúe por un minuto, vierta la mezcla en un frasco y ciérrelo bien. Déjela reposar durante 2 semanas hasta que el aceite tenga un color amarillo oscuro. El próximo paso es verter esta mezcla de aceite y hojas en un tazón (recipiente) grande. Separe el material herbario del aceite con sus manos, exprimiéndolo bien. Tire las hojas exprimidas. Debe tener un tazón lleno de aceite. Vuelva a echar el aceite en el frasco y guárdelo lejos del calor y la luz solar. Puede utilizar este emoliente tanto como sea necesario durante algunas semanas.

(*Nota:* Para conseguir los remedios naturales recomendados en este capítulo, consulte la lista de tiendas en la página 170).

CANDIDIASIS VAGINAL

La mayoría de las veces, el hongo *Candida albicans* lleva una existencia tranquila e inocua en la vagina. Pero cuando algo altera el equilibrio del organismo de una mujer, el hongo puede crecer rápidamente y crea un problema un poco incómodo: la candidiasis vaginal.

Los signos de una candidiasis vaginal son ardor y picazón en el área vaginal y una secreción que se parece al requesón. Lo que la provoca más comúnmente son los antibióticos, aunque el cambio hormonal durante el ciclo menstrual también puede causar problemas. Los cálculos aproximados que se han hecho muestran que casi tres de cada cuatro mujeres estadounidenses padecerán la candidiasis vaginal en algún momento antes de la menopausia. Los remedios naturales en este capítulo —en conjunto con cuidado médico y usados con la aprobación de su doctor— pueden ayudar a prevenir las candidiasis vaginales o aliviar sus síntomas, de acuerdo con algunos profesionales de salud.

Consulte al médico cuando...

- **Note picazón y ardor en el área vaginal.**
- **Note una secreción vaginal anormal.**

Alimentos

"Deje los azúcares y las comidas fermentadas", dice el Dr. Elson Haas, director del Centro de Medicina Preventiva de Marín en San Rafael, California. "Estos alimentos causan un crecimiento excesivo de hongos en el tubo digestivo, lo cual se manifiesta en la candidiasis vaginal". Él recomienda eliminar el azúcar refinada, el pan y otros alimentos horneados, el alcohol, la cafeína y el vinagre. También aconseja seguir su dieta de desintoxicación de 3 semanas (vea "Cómo desintoxicarse" en la página 18).

Según el Dr. Haas, las investigaciones científicas también demuestran que algunas mujeres se alivian si comen yogur que contenga acidófilos, que son bacterias buenas. "Agregar yogur a la alimentación ayuda cuando el yogur contiene acidófilos, que reducen la candidiasis vaginal", agrega el Dr. Haas y recomienda tomar a diario una o dos tazas de este tipo de yogur por 3 ó 4 días.

Jugos

Las mujeres pueden acelerar la curación de candidiasis vaginal y prevenir reapariciones con dosis diarias de jugos de arándano agrio (*cranberry*) y zarzamora, según dice Elaine Gillaspie, N.D., una naturópata de Portland, Oregon. Si usted no puede encontrar bayas frescas o congeladas de estas, "asegúrese de usar los concentrados no endulzados de arándano agrio, pero no use los jugos de arándano agrio en botella, porque la mayoría de las marcas de estos están cargadas de azúcar o almíbar (sirope) de maíz, los cuales fomentan la acumulación de hongos", explica. Este tipo de jugo de arándano agrio se consigue en las tiendas de productos naturales; en la etiqueta dirá *"unsweetened cranberry juice"*. Dado que hasta los jugos de bayas frescas son ricos en azúcares de frutas naturales, Gillaspie aconseja diluir 4 onzas (120 ml) de jugo con más o menos la misma cantidad de agua.

Gillaspie también recomienda hacer jugo con un diente de ajo fresco y agregarlo a sus jugos de verduras. "Nada previene el crecimiento excesivo de fermento como lo hace el ajo", explica.

Para información sobre técnicas para hacer jugos, vea la página 50.

Vitaminas y minerales

Tome más vitamina C, dice el Dr. Haas. "Los hongos crecen mejor en un ambiente alcalino, y la vitamina C es ácida, de manera que ayuda a reducir la cantidad de hongos". Él recomienda tomar entre 500 y 2,000 miligramos diarios en forma de suplemento.

(*Nota:* Para conseguir los remedios naturales recomendados en este capítulo, consulte la lista de tiendas en la página 170).

CICATRICES

Generalmente, el único propósito de una cicatriz es recordarle algún incidente que usted preferiría olvidar, como una herida, una enfermedad, una vacuna o una cirugía.

Pero estas marcas, que generalmente no son muy agradables a la vista, no tienen que estar permanentemente adheridas a la piel. Con frecuencia usted puede ayudar a que las cicatrices se borren más rápidamente o incluso evitarlas si cuida bien la piel durante el proceso de sanación. No toque una herida mientras se está sanando, ya que eso puede aumentar las probabilidades de formar una cicatriz. Y debe proteger las cicatrices nuevas de los rayos ultravioleta del Sol. Las cicatrices tienen menos pigmentos que el resto de su piel, de manera que son especialmente vulnerables a las quemaduras del sol y a la rojez prolongada, lo que las hace aún más prominentes. Los remedios naturales en este capítulo —usados con la aprobación de su médico— pueden ayudar a minimizar las cicatrices, de acuerdo con algunos profesionales de salud.

Consulte al médico cuando. . .

- **Su herida siga inflamada o decolorada o produzca pus después de varios días.**
- **Su herida aumente en tamaño y gravedad.**
- **Tenga una cortada o un tajo que no se cura en 1 mes.**

Aromatoterapia

Mientras trataba las cicatrices de varicela de su hija, Victoria Edwards, una aromatoterapeuta de Fair Oaks, California, descubrió el poder curativo para la piel que tiene el aceite de semilla de rosa (*rose hip seed oil*). Su receta consiste en 1 onza (30 ml) de semilla de rosa, una gota de aceite esencial de rosa y dos de aceite esencial de *everlast* (también conocido como *immortelle* o *helichrysum*). Edwards recomienda guardar la mezcla en una botella de vidrio oscuro y aplicarla a las cicatrices una vez al día después de bañarse. "Es un poco cara, por el aceite de rosa, pero la verdad es que no hay nada mejor para minimizar las cicatrices", subraya. También recomienda esta mezcla para prevenir los queloides, que son cicatrices agrandadas y elevadas que a veces son el resultado de cortadas, quemaduras e incisiones quirúrgicas.

Para información sobre cómo preparar y administrar aceites esenciales más precauciones sobre su uso, vea la página 25.

Hierbas

Las flores de color naranja brillante de la caléndula ayudan a reducir inflamaciones y fomentan la curación de las heridas, dice Varro E. Tyler, Ph.D., profesor de Farmacognosia (el estudio de los fármacos derivados de fuentes naturales) en la Universidad de Purdue en West Lafayette, Indiana.

Busque gel o crema de caléndula (disponible en la mayoría de las tiendas de productos naturales) y siga las instrucciones de la etiqueta para aplicarla.

Homeopatía

Una pomada (ungüento) de 10 por ciento o de 1X de potencia de *Thiosinaminum*, que es el aceite de semilla de mostaza, es un remedio efectivo para las cicatrices dolorosas si se aplica dos o tres veces al día por varias semanas, dice el Dr. Mitchell Fleisher, un doctor de medicina familiar y homeópata de Colleen, Virginia. Aunque generalmente no está disponible, algunas farmacias homeopáticas le prepararán la pomada si usted la pide.

Masaje

Una técnica llamada "ondulación" la puede ayudar a aflojar y romper el tejido tenso de una cicatriz, dice Elliot Greene, ex presidente de la Asociación Estadounidense de Terapia de Masaje. Haga esto solamente en cicatrices bien sanadas, advierte. Empiece en un extremo de la cicatriz y apriete suavemente entre sus dedos índice y pulgar. Moviéndose longitudinalmente, ruede continuamente la cicatriz entre los dedos hasta llegar al otro extremo. Trabaje en una cicatriz fresca por 1 ó 2 minutos. Si la cicatriz es más vieja, trabaje con ella durante 3 ó 4 minutos. Deténgase si siente molestias o dolor. Una vez que haya finalizado, puede frotar aceite de vitamina E para suavizar la piel. (Usted puede comprar el aceite, que está disponible en la mayoría de las tiendas de productos naturales, o abrir una cápsula de vitamina E). Greene recomienda hacer esto una vez al día a menos que note dolor o enrojecimiento. Si usted empieza a presentar estos síntomas, deje de hacer esto hasta que desaparezcan.

(*Nota:* Para conseguir los remedios naturales recomendados en este capítulo, consulte la lista de tiendas en la página 170).

Depresión

Hay una gran diferencia entre la tristeza y la depresión. Todas nos sentimos tristes en algún momento, por ejemplo cuando muere el perro de la familia o cuando una relación romántica se termina.

Pero la depresión es mucho más seria. Es una afección psicológica clínica cuyas características son sentimientos extremos de desánimo, melancolía y falta de confianza. A diferencia de la tristeza o a sentimientos temporales de dolor, la depresión persiste. La depresión también tiene un costo financiero ya que cuesta 44 mil millones de dólares por año en tratamientos y pérdida de productividad.

Los expertos creen que una de cada cuatro mujeres sufrirán de una fuerte depresión en algún momento de sus vidas. Los medicamentos y la psicoterapia pueden ser los tratamientos con los que esté más familiarizada. No obstante, los remedios naturales en este capítulo —usados en conjunto con cuidado médico y la aprobación de su doctor— pueden ayudar a aliviar algunos de los síntomas de la depresión, de acuerdo con algunos profesionales de salud.

Consulte al médico cuando...

Experimente al menos cuatro de estos síntomas por al menos dos semanas.

- **Sentimientos de culpa, falta de valor e impotencia**
- **Pensamientos de muerte o suicidio**
- **Irritabilidad o inquietud**
- **Dificultad para concentrarse, recordar o tomar decisiones**
- **Fatiga y disminución de energía**
- **Pérdida de interés en actividades comunes, entre ellas el sexo**
- **Tristeza, ansiedad y vacío persistentes**
- **Problemas para dormir, como por ejemplo insomnio, dormir demasiado o despertarse muy temprano**
- **Cambios en el apetito, pérdida o aumento de peso**
- **Sentimientos de pesimismo y falta de esperanza**

Alimentos

El primer paso es eliminar el azúcar, las comidas procesadas, los alimentos con cafeína y el alcohol. Todos estos pueden empeorar la depresión por sus efectos en la bioquímica del cuerpo, dice el Dr. David Edelberg, internista y director médico del Centro Holístico Estadounidense en Chicago. También sugiere usar la dieta de sensibilidad a las comidas (vea "Sensibilidad a las comidas: Comidas 'sanas' que enferman" en la página 22) para eliminar todo alimento que pueda jugar un papel en la causa de su depresión.

"Yo sugeriría comer más alimentos ricos en proteínas; por ejemplo pavo, pollo y pescado", dice Allan Magaziner, D.O., especialista en medicina nutritiva de Cherry Hill, Nueva Jersey. "Estas comidas contienen niveles altos de compuestos que pueden ayudar a producir neurotransmisores, los cuales pueden levantar el ánimo y aumentar la energía".

Aromatoterapia

Inhalar un aroma que levante el ánimo es una terapia maravillosa, dice John Steele, un consultor de aromatoterapia de Los Ángeles, California. Él recomienda aceites florales como los de rosa, jazmín, nerolí, toronjil (melisa) y *ylang ylang* más aceites cítricos como los de toronja (pomelo), limón verde, mandarina y bergamota. "Elija uno que le guste", dice Steele. "Si usted asocia algo negativo con una fragancia en particular, esta solamente empeorará las cosas". Steele sugiere inhalar la fragancia directamente de la botella y agregar tres o cuatro gotas de su favorita a un pañuelo un o *Kleenex* e inhalar o agregar de 6 a 10 gotas a un baño tibio. Para un masaje, dice, use 10 gotas de cualquiera de estos aceites.

Para información sobre cómo preparar y administrar aceites esenciales, y precauciones sobre su uso, vea la página 25.

Hierbas

El corazoncillo (hipérico, campasuchil, yerbaniz, *St. John's wort*) se usa ampliamente en Europa como una alternativa natural de las los medicamentos antidepresivos, dice Varro E. Tyler, Ph.D., profesor de Farmacognosia (el estudio de los fármacos derivados de fuentes naturales) en la Universidad de Purdue en West Lafayette, Indiana. Estudios científicos en animales demuestran que los componentes de la hierba pueden estimular células del cerebro. Para hacer una infusión medicinal usando corazoncillo, el Dr. Tyler sugiere verter una taza de agua hirviendo sobre 1 ó 2 cucharaditas de la hierba seca. Deje la mezcla reposar durante 10 minutos, cuele la hierba, deje que la infusión se enfríe y luego beba una o dos tazas al día, sugiere. También podría comprar una infusión comercial en una tienda de productos naturales.

Los resultados son graduales, dice el Dr. Tyler; puede llevar de cuatro a seis semanas antes de que note un cambio positivo en su ánimo. El Dr. Tyler agrega esta nota de precaución: algunas mujeres de piel muy blanca se vuelven sensibles a los rayos ultravioleta del Sol cuando usan este remedio. Por lo tanto, si tienen que estar expuestas al sol, deben asegurarse de usar un filtro solar en todas las áreas al descubierto.

Homeopatía

El homeópata Dr. Andrew Lockie sugiere que se tome una dosis de 6C de uno de los siguientes remedios tres veces al día por hasta 14 días para tratar una depresión leve.

Si se siente cansada, exhausta y con escalofríos y si usted es obsesivamente limpia y ordenada, pruebe *Arsenicum*, dice el Dr. Lockie. Aconseja tomar *Pulsatilla* si usted llora con la más mínima provocación o si necesita mucha atención y confianza. Si se siente irritable y culpa a todos a su alrededor, el Dr. Lockie sugiere probar *Nux vomica*. Si se siente irritable, con frío y propensa a llorar, y si su deseo sexual ha desaparecido, tome *Sepia*, apunta.

(*Nota:* Para conseguir los remedios naturales recomendados en este capítulo, consulte la lista de tiendas en la página 170).

Dolor de espalda

Puede surgir en cualquier momento, sea cuando se agacha para abrocharse el zapato o para levantar una caja. Siente ese dolor inmediato, y exclama: "Ay, ¡mi espalda me está matando!"

Afortunadamente, hasta ahora nadie se ha muerto por esos achaques bastante comunes. Sin embargo, tanto como la muerte o los impuestos del gobierno, el dolor de espalda es inevitable. Inevitable sí, pero invencible no. Del 70 al 90 por ciento de los dolores de espalda desaparecen por sí solos o con tratamientos caseros. Los remedios naturales en este capítulo —en conjunto con cuidado médico y usados con la aprobación de su doctor—pueden ayudar a aliviar el dolor de espalda, de acuerdo con algunos profesionales de salud.

Consulte al médico cuando...

- **Su dolor de espalda dure más de 3 días.**
- **Su dolor baje y se extienda a su pierna, su rodilla o su pie.**
- **Sienta las piernas acalambradas.**
- **Tenga fiebre, calambres en el estómago o dolor de pecho además del dolor de espalda.**

Aromatoterapia

Para dolores de espalda fuertes, John Steele, un consultor de aromatoterapia de Los Ángeles, California, ofrece el siguiente aceite relajante que es bueno para los masajes: mezcle 4 gotas de aceites esenciales de manzanilla azul, 4 gotas de abedul, 4 de romero, cilantro y eucalipto, 4 gotas de jengibre o pimienta negra y 14 gotas de lavanda (espliego, alhucema, *lavender*). Luego agregue esta solución a ½ onza (15 ml) de cualquier aceite portador como aceite de oliva, almendra o sésamo (ajonjolí).

Para un dolor menor, Steele sugiere usar la siguiente mezcla: 2 gotas de aceite esencial de manzanilla azul, 2 de abedul, 2 gotas de romero, cilantro y eucalipto, 2 de jengibre o pimienta negra y 2 gotas de lavanda en ½ onza de aceite portador.

Steele aconseja que se use cualquiera de estas dos mezclas diariamente y como sea necesario y se frote el área afectada después de un baño caliente cuando los músculos están relajados y los poros abiertos.

Para información sobre cómo preparar y administrar aceites esenciales, más precauciones sobre su uso, vea la página 25.

Hierbas

Curcumina *(curcumine)* es una sustancia natural derivada de la planta cúrcuma (azafrán de las Indias, *turmeric*). Según la Dra. Alison Lee, una acupunturista de Ann Arbor, Michigan, la curcumina es una potente medicina antiinflamatoria que es muy efectiva para las espaldas adoloridas. Búsquela en forma de cápsulas en las tiendas de productos naturales y siga la dosis recomendada en la etiqueta.

Homeopatía

Para reducir el dolor de espalda, pruebe uno de los siguientes remedios 6C o 12C tres o cuatro veces al día hasta que empiece a notar una mejoría, dice Chris Meletis, N.D., un naturópata de Portland, Oregon. Si se siente dolorida y magullada y no quiere que la toquen y si el dolor es más leve cuando se acuesta, el Dr. Meletis recomienda *Arnica*. Otro remedio, *Aesculus*, dice, puede ayudar si la parte inferior de su espalda le falla y esto va acompañado por un dolor que es peor después de caminar o agacharse. Para un cuello rígido y dolorido que empeora con el movimiento, el frío y los cambios de clima y mejora con descanso, el Dr. Meletis sugiere probar *Bryonia*. *Rhus toxicodendron* puede ayudar si sus síntomas en la espalda le impiden descansar y si no puede estar cómoda en ninguna posición, especialmente si tiene rigidez en la región lumbar que es peor con el movimiento, explica.

Jugos

Beba de ½ a 1 taza de jugo fresco de uvas al día aparte de las comidas, sugiere el Dr. John Peterson, un doctor de Ayurveda (la medicina tradicional de la India) de Muncie, Indiana. Él afirma que el jugo de uvas hecho de uvas oscuras es el más efectivo. Mantenga el jugo a temperatura ambiente, dice, y no lo mezcle con ningún otro jugo. Si es muy dulce para su gusto, simplemente mézclelo con agua. Recomienda beber el jugo una vez al día, preferiblemente antes de una comida, como medida preventiva.

Para información sobre técnicas para hacer jugos, vea la página 50.

Masaje

Ya que es difícil hacerse un masaje en su propia espalda, pruebe usar pelotas de tenis para hacerlo, dice Ed Moore, un masajista certificado que ha trabajado con el equipo ciclista olímpico de los Estados Unidos.

Primero, dice Moore, dése un baño o una ducha con agua caliente, después estírese suavemente. Entonces, antes de empezar el masaje, meta dos pelotas de tenis en un calcetín (media), atando el extremo abierto del calcetín de manera que las pelotas se toquen, dice Moore. Ahora acuéstese boca arriba en el suelo. Tome el calcetín con la mano y colóquelo debajo de la región lumbar de su espalda, una pelota en cada lado de la columna. Moore dice que hay que tomar una respiración profunda y dejar que el cuerpo se relaje sobre las pelotas. Mece sus caderas suavemente de lado a lado. Luego ajuste su cuerpo levemente de manera que las pelotas se corran algunos centímetros hacia arriba en su espalda. Sostenga la posición brevemente y luego realice una respiración profunda. Espere hasta que sienta que las pelotas se están suavizando o aplastándose antes de moverlas más arriba en su espalda, dice Moore.

Moore recomienda que se tomen de 10 a 15 minutos para trabajar con las pelotas hacia arriba y abajo de la espalda. Si tiene un área particularmente dolorida, usted puede dedicar más tiempo con las pelotas tocando esa área.

(*Nota:* Para conseguir los remedios naturales recomendados en este capítulo, consulte la lista de tiendas en la página 170).

ENDOMETRIOSIS

Para muchas mujeres, la menstruación es simplemente algo que ocurre mensualmente. Pero cuando usted padece endometriosis, los dolores (cólicos) menstruales no sólo la incomodan un poco: siente un dolor fuerte en la parte inferior de la espalda y sensibilidad e hinchazón en el abdomen. También puede experimentar molestias durante las relaciones sexuales o cuando va al baño, y a veces, hasta puede tener dificultades para concebir.

Cada mes, el tejido que rodea el útero se espesa con sangre para formar un nido de alimento en preparación para un feto. Cuando la concepción no ocurre, este forro, llamado endometrión, se desprende y sale por la vagina y usted menstrúa. Pero con la endometriosis, este tejido está fuera del útero —pegado a los ovarios, las trompas de Falopio, la vejiga y el colon—, lo que causa dolor y molestias porque está en el lugar equivocado.

Los médicos no están seguros de qué es lo que causa la endometriosis, pero el embarazo (cuando es posible) y el amamantamiento pueden eliminar los síntomas temporalmente. Los remedios naturales en este capítulo —usados con cuidado médico y la aprobación de su doctor— pueden aliviar los síntomas de endometriosis, de acuerdo con algunos profesionales de salud.

Consulte al médico cuando. . .

- **Tenga un dolor agudo repentino en el área pélvica alrededor del tiempo de su período menstrual que dure más de 2 días.**
- **Sienta dolor o ardor mientras hace de vientre.**
- **Tenga sangre en la orina o deposiciones.**
- **Tenga dolor durante las relaciones sexuales.**
- **Tenga problemas para concebir.**

Alimentos

Los pescados que son ricos en ácidos grasos omega-3 —caballa, salmón, anchoas, atún, pescado blanco, arenque y sardinas— ayudan a suprimir la producción de prostaglandinas, las hormonas que causan los dolores que pueden acompañar la endometriosis, de acuerdo a la Dra. Camran Nezhat, directora del Centro de Fertilidad y Endoscopía y del Centro para Cirugía Especial de Pelvis en Atlanta.

La dieta de desintoxicación de 3 semanas (vea "Cómo desintoxicarse" en la página 18) también puede beneficiar a algunas mujeres con endometriosis, dice el Dr. Elson Haas, director del Centro de Medicina Preventiva de Marín en San Rafael, California.

"Los ácidos grasos esenciales son importantes para las mujeres que sufren de endometriosis porque ayudan a controlar la inflamación", dice Kathleen Maier, una asistente médica y herbolaria de Flint Hill, Virginia.

"La forma más fácil de agregar estos ácidos a su alimentación es comprar en una tienda de productos naturales 1 onza (28 g) de semilla de lino (linaza, *flaxseed*). Debido a que esta se vuelve rancia rápidamente, guárdela en el congelador y muela pequeñas cantidades a la vez en un molino para café", sugiere Maier. "Use aproximadamente una cucharada al día espolvoreada sobre el cereal, sopas o cacerolas (guisos)".

Otra terapia alimenticia que puede ayudar con esta afección es el aceite de ricino (*castor oil*). Afortunadamente, no tendrá que tomarlo para aprovecharlo. "Las compresas de aceite de ricino son muy buenas para el dolor y he visto casos de endometriosis que responden increíblemente bien", comenta Ellen Kamhi, R.N., Ph.D., una enfermera y herbolaria de Oyster Bay, New York. Esto es lo que tiene que hacer: humedezca un pedazo de franela de lana sin teñir en el aceite. Póngala en el área del abdomen en la que siente dolor. Cúbrala con un pedazo de plástico para envolver, después con una toalla y finalmente con una almohada eléctrica (o botella con agua caliente) que esté a una temperatura que le sea cómoda. Déjese la almohada o botella puesta durante aproximadamente una hora. "Las compresas funcionan al ayudar que el tejido endometrial se encoja", explica la Dra. Kamhi.

Aromatoterapia

Para tratar la endometriosis, tanto los tratamientos calentadores como la aromatoterapia son muy útiles", dice Amanda McQuade Crawford, una herbolaria de Ojai, California. Ella recomienda agregar a un baño caliente (con varias pulgadas de agua en la bañadera/bañera/tina) 3 gotas de cada uno de los siguientes aceites esenciales: geranio de rosa (*rose geranium*), salvia amaro (*clary sage*) y ciprés (*cipres*).

De acuerdo con Valerie Ann Worwood, una aromatoterapeuta inglesa y autora de libros sobre el tema, el geranio aminora la ansiedad y la depresión, la salvia es utilizada para calmar el dolor y la tensión, y el ciprés es recomendado para la fatiga y los cambios de humor.

Para información sobre como preparar y administrar aceites esenciales más precauciones sobre su uso, vea la página 25.

Hierbas

"Cuando veo a una mujer con endometriosis severa, una de las primeras cosas que hago es tratar de calmar su dolor —dice Maier—. La infusión que recomiendo combina hierbas relajantes y calmantes como pasionaria (pasiflora, hierba de la parchita), damiana y escutelaria con otras que equilibran las hormonas como alfalfa, ortiga y frambuesa roja". Para prepararla, mezcle partes iguales de las hojas secas de cada hierba. Entonces en un envase combine 1 cucharada de esta mezcla por cada taza de 8 onzas (240 ml) de agua hirviendo que utilice. Cierre el envase y deje reposar la infusión durante una hora. Después cuélela y tómela. "Cuando trabajo con hierbas como estas, prefiero utilizar una cucharada", dice Maier. Esto hará que la solución sea más potente que con la cucharadita que generalmente se recomienda en estas fórmulas. Maier recomienda beber una taza de esta infusión tres veces al día.

Homeopatía

Si usted está ansiosa y llorosa y tiene dolor de ovarios que se extiende hacia los muslos, pruebe una dosis de 6X de *Lilium tigrum* tres veces al día o una dosis de 30C una o dos veces al día hasta que se sienta mejor, sugiere la Dra. Cynthia Mervis Watson, una doctora de medicina familiar de Santa Mónica, California. Ella afirma que la misma dosis de *Sepia* puede ayudar a otras mujeres, particularmente a las morenas (aquí nos referimos al color del cabello, no a la raza) de piel clara que padecen síndrome premenstrual, con brotes de ira y dolor durante el coito o la menstruación. Una dosis de 6X de *Belladonna* tres veces al día o 30C una o dos veces diarias puede aliviar la endometriosis, dice la Dra. Watson, especialmente si se siente acalorada y enrojecida, inquieta y ansiosa y si desarrolla un dolor repentino durante la menstruación que se extiende hasta las piernas y tiene un flujo de sangre que es rojo brillante y profuso.

Vitaminas y minerales

Los ácidos grasos omega-3 suprimen la producción de prostaglandinas, las hormonas que causan los dolores, dice el Dr. Haas. Para obtener estos ácidos, él recomienda cápsulas de aceite de pescado, tomadas de acuerdo con las dosis indicadas en la etiqueta. Estas cápsulas se pueden adquirir en la mayoría de las tiendas de productos naturales.

El aceite de semilla de lino (aceite de linaza, *flaxseed oil*) contiene otro ácido graso esencial que puede ayudar, dice el Dr. Haas. Este aceite se puede adquirir en forma de líquido o de cápsula en la mayoría de las tiendas de productos naturales; el Dr. Haas recomienda tomar todos los días una dosis de 1 cucharada del líquido o dos o tres cápsulas.

Algunas mujeres se benefician con el siguiente régimen diario de suplementos, según la Dra. Susan Lark, una autora de libros sobre la endometriosis: entre 400 y 2,000 unidades internacionales (*IU* por sus siglas en inglés) de vitamina E (mujeres con diabetes o presión arterial alta deberían tomar solamente 100 IU); 3 miligramos (5,000 IU) de betacaroteno; 300 miligramos de vitamina B_6 y 50 miligramos del complejo de las vitaminas B; hasta 4,000 miligramos de vitamina C; y 800 miligramos de bioflavonoides. Las dosis recomendadas para las vitaminas

E, C, B_6 y el complejo de las vitamina B son más altas que las Asignaciones Dietéticas Recomendadas (las *RDA* por sus siglas en inglés), dice la Dra. Lark, y no deberían tomarse por más de 3 meses sin consultar a un médico.

(*Nota:* Para conseguir los remedios naturales recomendados en este capítulo, consulte la lista de tiendas en la página 170).

Enfermedad fibroquística del seno

Usted se da cuenta que tiene un bulto en el seno. Eso es todo lo que necesita saber. Después de todo, todas las mujeres comprenden lo que eso significa, ¿verdad?

No necesariamente. Aunque todos los bultos son causa de preocupación —y de una consulta al médico— no es necesariamente cáncer. El término *enfermedad fibroquística del seno* ha sido usado para describir problemas que incluyen displasia mamaria, mastopatía fibroquística, mastitis quística crónica y otras afecciones que hacen doler los pechos y los hacen abultados, sensibles o hinchados. Los remedios naturales en este capítulo —usados en conjunto con cuidado médico y la aprobación de su doctor— pueden ayudar a prevenir o aliviar la enfermedad fibroquística del seno y sus síntomas, de acuerdo con algunos profesionales de salud.

Consulte al médico cuando. . .

- **Encuentre bultos, hinchazón, protuberancias u hoyuelos que no son normales en uno o ambos senos.**
- **Su dolor en el pecho sea fuerte o dure más de 2 meses.**
- **Sus pechos estén sensibles cuando esté recibiendo la terapia de reposición de hormonas.**

Alimentos

La comida puede no aliviar el dolor de la enfermedad fibroquística del seno, pero sí lo puede intensificar. "El café es particularmente malo, no solamente por la cafeína sino también por los aceites que contiene", dice el Dr. Julian Whitaker, fundador y presidente del Whitaker Wellness Center, un centro de bienestar en Newport Beach, California.

Reducir la grasa dietética también puede reducir el dolor y la inflamación, de acuerdo con el Dr. Whitaker, quien puntualiza que algunas mujeres notan una mejoría después de cambiar su alimentación para que sea baja en grasa, lo que significa que no más del 20 por ciento de las calorías que una consume a diario deben provenir de la grasa. Para calcularlas, es necesario contar los gramos de grasa que consume a diario y multiplicarlos por nueve. El resultado se divide entre el total de calorías de todos los alimentos que comió durante todo el día y se multiplica por 100 para obtener el porcentaje final. Ahora bien, sabemos que no tiene tiempo

CUOTAS DIARIAS DE GRASA PARA MUJERES

A continuación presentamos una lista de las cantidades máximas de grasa que las mujeres deben consumir (según su peso) para asegurar que no más del 20 por ciento de sus calorías totales diarias provengan de la grasa. Podrá limitar su consumo de grasa guiándose por estos números, pero para que le sirvan tiene que fijarse bien en las etiquetas de los alimentos para ver cuánta grasa contienen.

Peso (lb./kg)	Cuota de grasa (g)
110/50	29
120/54	31
130/59	36
140/63	38
150/68	40
160/72	42
170/77	44

para apuntar el contenido calórico y graso de todo lo que come. Además, hacer todos estos cálculos le darían un dolor de cabeza a cualquiera. Por lo tanto, se lo hemos facilitado. Vea "Cuotas diarias de grasa para mujeres" en la página 123 y así sabrá, dependiendo de su peso, cuántos gramos de grasa debe ingerir a diario para no pasarse del límite. En vez de hacer cálculos, sólo tendrá que fijarse en las etiquetas de los alimentos para ver cuántos gramos de grasa contienen por porción y no exceder su "cuota" particular diaria de grasa. El Dr. Whitaker recomienda las siguientes estrategias generales para no exceder su cuota: reducir o eliminar las carnes altas en grasa, los aceites y los productos lácteos enteros.

Hierbas

Rosemary Gladstar, una herbolaria de Barre, Vermont, ofrece una receta para hacer una "Infusión Limpiadora del Sistema Inmunitario" y la recomienda como parte de un programa general de cuidado de salud para tratar senos fibroquísticos. Usted puede encontrar todos los ingredientes (hierbas acabadas de secar o hierbas en polvo) en la mayoría de las tiendas de productos naturales.

Gladstar recomienda mezclar los ingredientes en estas proporciones: una parte de raíz de lengua de vaca (*yellow dock root*), tres partes de raíz de diente de león (amargón), dos partes de raíz de bardana, una parte de polvo de jengibre, una parte de *dong quai*, una parte de astrágalo (*astragalus*), una parte de regaliz (orozuz, *licorice*), una de agnocasto (sauzgatillo, *chasteberry*) y cuatro partes de lapacho (*pau d'arco*). Para hacer la infusión, dice Gladstar, use de 4 a 6 cucharadas de la mezcla de estas hierbas por ¼ de galón (.95 l) de agua. Hiérvala a fuego lento por 20 minutos en una olla bien tapada. Después apague el fuego y deje las hierbas reposar en la olla cubierta por otros 20 minutos. Cuele la infusión de manera que no queden hierbas secas y déjela enfriar para beberla a una temperatura adecuada.

Gladstar sugiere beber tres o cuatro tazas de la infusión al día durante 5 días y luego dejar de tomarla por dos días. Siga este tratamiento por un máximo de 3 meses.

Vitaminas y minerales

"Algunos estudios demuestran que tomar 800 unidades internacionales de vitamina E cada día puede ser útil para algunas mujeres", dice el Dr.

Whitaker. Otros nutrientes que han demostrado ayudar a reducir la sensibilidad de los senos, de acuerdo con el Dr. Whitaker, incluyen la vitamina A, el complejo de las vitaminas B (tiamina, riboflavina, niacina, vitamina B_6, vitamina B_{12} y ácido pantoténico), yodo y selenio. Él sugiere buscar un suplemento multivitamínico y de minerales que contenga todos estos nutrientes.

(*Nota:* Para conseguir los remedios naturales recomendados en este capítulo, consulte la lista de tiendas en la página 170).

FATIGA

De nuevo se siente cansada y no se le quita el agotamiento por más que trate de vigorizarse.

A esto se le llama fatiga, y todas la hemos sufrido en algún momento de nuestra vida.

Si usted ha reposado y se ha relajado lo suficiente y todavía se siente sin energía, probablemente su cansancio tenga algún otro origen. La fatiga puede ser una señal temprano de varias enfermedades, así que debe tomar esto en cuenta y consultar a su médico. Los remedios naturales en este capítulo —usados con cuidado médico y la aprobación de su doctor— pueden aliviarla, de acuerdo con algunos profesionales de salud.

Consulte al médico cuando. . .

- **Sienta letargo y falta de energía que duran más de 2 semanas sin razón aparente.**
- **La fatiga esté acompañada de dolores musculares, náusea, fiebre, depresión y cambios de ánimo.**

Masaje

Un vigoroso masaje de 10 minutos en todo el cuerpo le puede dar un buen "arranque" de energía, dice Vincent Iuppo, N.D., un masajista y naturópata de Denville, New Jersey. Obviamente, usted no puede alcanzar todas las partes de su cuerpo, pero algo es algo.

Empiece por lubricar levemente sus manos con aceite de masaje o aceite vegetal. Puede frotar sus piernas y brazos con los movimientos de *effleurage* (página 163), *tapotement* (página 164) y de vibración (página 164). Trabaje desde los pies hasta las caderas. Luego frote su abdomen y el pecho con movimientos planos y circulares. Trabaje en cada brazo y pase su mano vigorosamente desde la muñeca hasta el codo, luego del codo hasta el hombro. También tómese el tiempo para frotar vigorosamente los músculos de los hombros y el cuello.

Relajamiento y meditación

La meditación es bastante vigorizante y puede acabar con el cansancio, aun si se practica por solamente unos cuantos minutos al día, dice Sundar Ramaswami, Ph.D., un psicólogo clínico de Stamford, Connecticut. Para probar una técnica sencilla de meditación, vea al final de la página 69.

Empiece a meditar por 20 minutos dos veces al día, sugiere el Dr. Ramaswami. A medida que adquiere más experiencia y sea más consciente de las sensaciones de su cuerpo usted puede descubrir que puede meditar menos y lograr todavía el mismo efecto.

La respiración profunda (vea la página 69), *autogenics* (vea la página 72) y el relajamiento progresivo (vea la página 73) también le pueden dar energía, de acuerdo con Martha Davis, Ph.D., Elizabeth Robbins Eshelman y Matthew McKay, Ph.D.

(*Nota:* Para conseguir los remedios naturales recomendados en este capítulo, consulte la lista de tiendas en la página 170).

INFECCIONES DE LAS VÍAS URINARIAS

Una encuesta que realizamos nosotras, las editoras de *Prevention en Español*, descubrió que las infecciones de las vías urinarias son uno de los problemas de salud más comunes entre las mujeres; casi la mitad de las mujeres que respondieron a la encuesta dijeron haber tenido por lo menos una.

La infección ocurre cuando un microorganismo invade la vejiga o la uretra, el conducto que lleva la orina de la vejiga y fuera del cuerpo. El resultado de esta invasión microscópica es ardor o dolor al orinar, la urgencia de orinar frecuentemente, dolor en la parte inferior de la espalda y a veces sangre en la orina.

Una higiene apropiada y beber muchos líquidos son esenciales para prevenir las infecciones de las vías urinarias. Los remedios naturales en este capítulo —en conjunto con cuidado médico y usados con la aprobación de su doctor— pueden ayudar a prevenir las infecciones de las vías urinarias o acelerar su curación, de acuerdo con algunos profesionales de salud.

Consulte al médico cuando...

- **Note sangre en la orina.**
- **Tenga dolor en la parte baja de la espalda o en los costados.**
- **Tenga fiebre, náuseas o vómitos.**

Aromatoterapia

Para acelerar la curación de una infección de las vías urinarias, agregue 20 gotas de aceite esencial de eucalipto y 20 de aceite esencial de sándalo (*sandalwood*) a un baño caliente, sugiere la aromatoterapeuta de Greenwich, Connecticut, Judith Jackson. Ella recomienda remojarse en la bañera (tina, bañadera) por 10 minutos. Si lo prefiere, puede sustituir el sándalo y el eucalipto por aceites esenciales de enebro y tomillo, dice Jackson.

Para información sobre cómo preparar y administrar aceites esenciales, y precauciones sobre su uso, vea la página 25.

Hierbas

Las cápsulas de gayuba (uvaduz, aguavilla, *bearberry*) pueden ayudar a tratar las infecciones de las vías urinarias, de acuerdo con Varro E. Tyler, Ph.D., profesor de Farmacognosia (el estudio de los fármacos derivados de fuentes naturales) en la Universidad de Purdue en West Lafayette, Indiana. Estas cápsulas se pueden adquirir en la mayoría de las tiendas de productos naturales. El Dr. Tyler sugiere seguir las recomendaciones de dosis que figuren en la etiqueta. Pero hay algo para tener en cuenta: para que el remedio dé buenos resultados, de acuerdo con el Dr. Tyler, usted debe mantener la orina alcalina por medio de una alimentación rica en leche, verduras, frutas y jugos de frutas. También recomienda tomar dos cucharaditas de bicarbonato de sodio al día con cada comida. No tome este remedio si usted está controlando su ingestión de sodio, agrega.

Jugos

Aunque beber líquidos es la mejor forma de combatir las bacterias que causan las infecciones de las vías urinarias, algunos líquidos son mejores que otros, dice el Dr. Michael A. Klaper, un especialista en medicina nutritiva de Pompano Beach, Florida. Dice que el jugo de arándano agrio (*cranberry*) es probablemente el mejor porque ayuda a prevenir que las bacterias se adhieran en las paredes de la vejiga. "La clave es beber el verdadero jugo de arándano, no esos cócteles comerciales", explica. "Esas bebidas son muy dulces. Tiene que ser realmente agrio para que dé resultado". Normalmente estos jugos se consiguen en las tiendas de productos naturales; dirán "*unsweetened cranberry juice*" en la etiqueta. Dado que su sabor es bastante agrio, algunos profesionales recomiendan mezclar este jugo con 4 onzas (120 ml) de agua.

Para información sobre técnicas para hacer jugos, vea la página 50.

Infertilidad

Hace ya meses que ha tratado de quedar embarazada. Sin embargo, la cigüeña aún no le ha tocado la puerta. Por lo tanto, se está empezando a preguntar si usted y su esposo son infértiles.

La mayoría de los médicos ni siquiera diagnostican infertilidad hasta después de que la pareja haya tratado de concebir durante un año. Sin embargo, recomiendan que las mujeres mayores de 35 años de edad busquen ayuda médica después de 6 meses, debido a la disminución natural en la fertilidad de la mujer.

La infertilidad masculina es el problema alrededor del 35 por ciento de las veces. Esta puede incluir no tener suficientes espermas o espermas que son demasiado débiles para nadar la distancia hasta la trompa de Falopio. Otro 35 por ciento de los casos de infertilidad se deben al sistema reproductor de la mujer, con problemas tales como una trompa de

Falopio obstruida o dañada y falta de ovulación. Estas barreras a la fertilidad tienen muchas causas, entre ellas endometriosis, deficiencias hormonales, infecciones, quistes y enfermedades transmitidas sexualmente. En el 30 por ciento de los casos, hay una combinación de problemas o la causa es desconocida. Los remedios naturales en este capítulo —usados en conjunto con cuidado médico y la aprobación de su doctor— pueden ayudar a mejorar la posibilidad de concepción, de acuerdo con algunos profesionales de salud.

Consulte al médico cuando. . .

- **Sea una mujer menor de 35 años de edad y no haya podido concebir en un año de relaciones sexuales sin protección.**
- **Sea una mujer de 35 años de edad o mayor y no haya podido concebir después de 6 meses de relaciones sexuales sin protección.**
- **Sus períodos menstruales sean escasos o irregulares y la mucosa cervical no cambie.**
- **Sus antecedentes médicos incluyan infecciones pélvicas, endometriosis, quistes de ovario, cirugía del sistema abdominal o urinario, fiebre excesivamente alta, paperas o sarampión.**
- **Haya usado un dispositivo intrauterino.**
- **Usted o su pareja hayan sufrido chlamidia.**
- **Esté produciendo leche o tiene crecimiento de vello del patrón masculino en los senos, la parte superior del labio o el mentón.**

Alimentos

"La mujer necesita un ambiente agradable, cálido y confortable en el útero para que el óvulo se implante", dice Roger C. Hirsh, O.M.D., un doctor de medicina oriental de Beverly Hills, California. La manera de producir este ambiente es comiendo más alimentos "calientes" y menos de los "fríos" como las ensaladas.

El Dr. Hirsh recomienda una alimentación rica en comidas cocinadas en las cuales pequeñas porciones de carne, como la de cordero (la que en el sistema de curación de medicina tradicional China, "calienta" el estomago) y otras carnes bajas en grasa son utilizadas como condimentos para *tofu*, cereales, frijoles (habichuelas), verduras cocidas y otras comidas integrales. Otros productos altos en proteínas incluyen al pescado, los mariscos, la leche y los huevos.

Además, según algunos expertos, usted necesita evitar ciertos alimentos si quiere embarazarse. Según el Dr. Jacob Teitelbaum, un médico de Anápolis, Maryland, debe evitar lo siguiente:

- Café. Beber más de cuatro tazas al día puede reducir la fertilidad. Algunos expertos hasta especulan que cualquier cantidad de café inhibe la fertilidad.
- Refrescos cafeinados. Si se toma uno al día, pueden reducir las posibilidades de embarazo.
- Alcohol. Si la infertilidad es causada por problemas de ovulación, una bebida al día puede incrementar la dificultad de quedar embarazada un 30 por ciento. Beber dos tragos al día aumenta esta dificultad en un 50 por ciento.

Hierbas

Una causa común de la infertilidad en la mujer es un problema que se llama anovulación (o cese de ovulación), que sucede cuando el ovario no libera un óvulo mensualmente como debería hacer. Los síntomas de este padecimiento incluyen la falta de los períodos menstruales o bien que estos se vuelven impredecibles. "Ordenar" a su ciclo menstrual para que le llegue su período regularmente es el primer paso para hacer que la ovulación —y la concepción— sean posibles, dice Mercedes Cameron, M.D., una doctora familiar de Grand Junction, Colorado. Se ha comprobado que los efectos de la hierba agnocasto (sauzgatillo, *chasteberry*), los cuales se parecen a los de las hormonas, ayudan a equilibrar las irregularidades menstruales.

La progesterona es la hormona femenina que es normalmente equilibrada por otra llamada estrógeno. Mientras que algunas hierbas crean efectos en el cuerpo parecidos a los de esta última, el agnocasto actúa de manera parecida a la progesterona, dice la Dra. Cameron. Como la anovulación puede causar una falta de progesterona que dé como consecuencia períodos irregulares, la acción "hormonal" adicional aportada por la hierba puede ser lo suficiente para "cuadrar" las cosas.

Tome 175 miligramos en cápsulas una vez al día o 40 gotas de tintura cada mañana hasta que sus períodos sean regulares. Cualquiera que sea la forma de agnocasto que elija, tendrá que consumirla de 3 a 6 meses hasta que sus períodos se vuelvan regulares. Una vez que lo hayan hecho, la Dra. Cameron recomienda dejar de tomar la hierba *antes* de que vaya a intentar quedar embarazada. "La opinión que tengo de las hierbas y el embarazo es la misma que con respecto a los medicamentos que se venden con receta", apunta. "Lo mejor es no tomarlas, especialmente en el primer trimestre".

Otra opción herbaria es una infusión, lo que ha sido una manera tradicional de inducir la fertilidad, dice la Dra. Cameron. Ella recomienda una combinación de trébol rojo, ortiga, nébeda (hierba de los gatos, hierba gatera, calamento) y fruta de perdiz.

El trébol rojo actúa como el estrógeno, la ortiga ayuda a restaurar el funcionamiento reproductivo, la nébeda tiene efecto relajante y la fruta de perdiz es una hierba tónica que equilibra las hormonas.

Mezcle en un recipiente partes iguales de las hierbas secas. Por cada taza de infusión que haga, ponga 1 cucharada copeteada de la mezcla en la tetera. Añada agua hirviendo y deje reposar de 5 a 10 minutos (esto depende de que tan cargada la quiera). Después cuele la hierbas.

Tome dos tazas de esta infusión diariamente hasta la concepción. Una vez que se embarace deberá dejar de tomarla.

Homeopatía

La infertilidad se debe tratar individualmente por parte de un homeópata o un especialista en infertilidad, indican el Dr. Andrew Lockie y la Dra. Nicola Geddes, quienes han escrito libros acerca de la homeopatía. Sin embargo, agregan que hay varios remedios homeopáticos que usted puede probar mientras espera cuidado profesional. La sugerencia que hacen es tomar una dosis 30C de uno de los siguientes remedios cada 12 horas por hasta siete días.

Si usted es una mujer cuyos senos se sienten sensibles, con áreas hinchadas y duras, y su deseo sexual está disminuyendo, pruebe *Conium*, dicen Lockie y Geddes. De igual forma, *Lycopodium* le puede ayudar si usted tiene la vagina seca y la parte inferior del abdomen, sobre el ovario derecho, está sensible. Si se siente llorosa, con escalofríos e irritable, ha perdido el deseo sexual y tiene períodos irregulares acompañados por una sensación de que el vientre se le va a salir por la vagina, los homeópatas sugieren que pruebe *Sepia*. Si usted ha perdido involuntariamente al bebé antes de 12 semanas de embarazo, pruebe *Sabina*.

Vitaminas y minerales

El Dr. Teitelbaum sugiere que reduzca su consumo de vitamina C. Un estudio mostró que dosis diarias de esta sustancia mayores a 1,000 miligramos pueden causar infertilidad en las mujeres. Recomienda que no tome mas de 500 miligramos diarios.

Para las mujeres que tienen períodos irregulares o ausentes, la vitamina B_6 puede estimular la fertilidad, apunta, y sugiere consumir 50 miligramos al día.

Además, la deficiencia de hierro puede desempeñar un papel en este problema. El análisis convencional para determinar la cantidad de este mineral en la sangre incluye la evaluación de la ferritina (*ferritin*), una proteína que lo almacena. Los niveles deben ser lo bastante altos para prevenir la anemia pero no lo demasiado bajos para que causen infertilidad, dice el Dr. Teitelbaum. Cita un estudio en el que la mitad de las mujeres con niveles bajos de esta sustancia rápidamente quedaron embarazadas cuando empezaron a ingerir hierro.

Si por alguna razón no puede chequear sus niveles de ferritina, el Dr. Teitelbaum recomienda que tome suplementos de hierro por lo menos por 4 meses mientras trata de quedar embarazada. Su recomendación es tomar una tableta o 50 miligramos al día del producto *Ferro-Sequels*. Ingiéralo con el estómago vacío y no lo tome hasta después de 6 horas de tomar la hormona tiroidea, dice el Dr. Teitelbaum.

Finalmente, el Dr. Teitelbaum agrega que tomar un suplemento multivitamínico y de minerales es esencial para la fertilidad. *Natrol* es su marca preferida.

(*Nota:* Para conseguir los remedios naturales recomendados en este capítulo, consulte la lista de tiendas en la página 170).

OSTEOPOROSIS

Esto hay que decirlo a rompe y rasga: la mitad de todas las mujeres estadounidenses mayores de 50 años de edad sufrirá una fractura causada por la osteoporosis en algún momento de su vida.

La osteoporosis hace que los huesos se desgasten y los hace más propensos a quebrarse cuando se tensionan. La mayoría de las mujeres con osteoporosis ya han pasado por la menopausia. Aunque los médicos no saben por qué, la caída en los niveles de estrógeno que sucede durante la menopausia pareciera acelerar la pérdida de la masa ósea.

El estilo de vida también puede jugar un papel en la pérdida ósea. Las mujeres que consumen muy poco calcio o demasiada cafeína y sal corren un riesgo mayor. También lo corren las fumadoras, las que no hacen ejercicio y las que están a dieta constantemente. Los remedios naturales en este capítulo —usados en conjunto con cuidado médico y la aprobación de su doctor— pueden ayudar a prevenir o retrasar la osteoporosis, de acuerdo con algunos profesionales de salud.

Vea a su médico cuando. . .

- **Note un cambio en su altura, la cual usted debe medir por lo menos cada 2 años.**

Alimentos

"La osteoporosis es una enfermedad de pérdida de calcio, no de deficiencia", dice el Dr. Michael A. Klaper, un especialista en medicina nutritiva de Pompano Beach, Florida. "Usted necesita evitar cosas que hagan a sus riñones excretar calcio en exceso". Esto se debe a que esa excreción por sus riñones agota las reservas de calcio de su cuerpo. Los alimentos que debe evitar incluyen proteínas animales como las carnes, las aves de corral y el pescado, así como el azúcar refinada, el alcohol, la sal, el tabaco y la cafeína, presente en el café, el té negro, las colas y el chocolate, afirma.

Elija las fuentes alimenticias que son ricas en calcio, como las verduras con hojas de color verde oscuro, los productos lácteos con poca grasa y las sardinas con huesos, dice Richard Gerson, Ph.D., un experto en nutrición. (Para más fuentes de calcio, vea "Lo que usted necesita" en la página 86).

Jugos

Obtener suficiente calcio a través de su alimentación puede ser un problema, dice Michael Murray, N.D., un naturópata y autor de libros sobre jugos terapéuticos. Él ofrece esta alternativa no láctea: haga jugo con tres hojas de col rizada, dos hojas de berza, un puñado de perejil, tres zanahorias, una manzana y medio pimiento (ají, pimiento morrón) verde. Según el Dr. Murray, este cóctel contiene alrededor de 212 miligramos de calcio y 102 miligramos de magnesio, ambos esenciales para construir masa ósea.

Para información sobre técnicas de hacer jugos, vea la página 50.

Vitaminas y minerales

Una mujer con osteoporosis puede usar el siguiente régimen diario de suplementos para controlar esta afección, dice el Dr. David Edelberg, internista y director médico del Centro Holístico Estadounidense en Chicago, Ilinois: 1,200 miligramos de calcio; 800 miligramos de magnesio; 10 miligramos de cinc; 1 miligramo de cobre; 1,000 de la vitamina C; 200 unidades internacionales (*IU*, por sus siglas en inglés) de la vitamina D; 50 miligramos de la vitamina B_6; 1 miligramo de ácido fólico; 1 miligramo de silicio; 0.5 miligramos de boro y 5 miligramos de manganeso. Algunos fabricantes combinan todos estos suplementos en una cápsula, de acuerdo con el Dr. Edelberg; estos suplementos se pueden adquirir en la mayoría de las tiendas de productos naturales.

(*Nota:* Para conseguir los remedios naturales recomendados en este capítulo, consulte la lista de tiendas en la página 170).

PROBLEMAS DE AMAMANTAMIENTO

Cuando las cosas van bien, el amamantamiento puede beneficiar mucho a la madre y al niño. El bebé recibe nutrición natural de la mejor calidad. La madre se une a su hijo de una manera muy íntima. Y ambos son más sanos.

Los estudios demuestran que el amamantamiento puede reforzar el sistema inmunitario del bebé y protegerlo de enfermedades futuras. Es benéfico para la madre porque conserva las reservas de hierro del cuerpo y ayuda a protegerla de pérdida ósea y cáncer de mama. Existen más ventajas inmediatas: al amamantar, el útero vuelve a su tamaño normal más rápido, además de que el peso que se tenía antes del embarazo se recupera en poco tiempo.

Por supuesto, las cosas no siempre van bien. Los pezones pueden doler. Los conductos de leche se pueden tapar. Los pechos pueden producir demasiada leche o no la suficiente. Los remedios naturales en este capítulo —en conjunto con cuidado medico y con la aprobación de su doctor— pueden proporcionar alivio a los problemas derivados del amamantamiento, de acuerdo con algunos profesionales de salud.

Consulte al médico cuando. . .

- **Sus pechos estén inflamados.**
- **Desarrolle síntomas como los de la gripe, con fiebre, cuando trate de amamantar.**

Alimentos

Coma más frutos secos (como cacahuates/maníes, avellanas y pistachos), semillas y cereales integrales, ya que son ricos en ácidos grasos esenciales y en vitaminas y minerales que pueden aliviar el dolor por amamantamiento, dice el Dr. Julian Whitaker, fundador y presidente del Whitaker Wellness Center, un centro de bienestar en Newport Beach, California. "Usted debe también evitar las verduras crucíferas, como la coliflor, el brócoli y el nabo —explica—. Algunos bebés no toman la leche de madres que comen este tipo de verduras".

Aromatoterapia

Empiece cada día bebiendo en forma bien lenta un vaso de 8 onzas (240 ml) de agua con 1 gota de aceite esencial de hinojo (*fennel*), recomienda Jeanne Rose, una herbolaria de San Francisco, California. "Por la noche, después de alimentar al bebé, puede frotar sus senos con un aceite de hinojo para masaje, —dice Rose—. Use 1 gota de aceite de hinojo en 1 cucharadita de aceite de oliva". (El aceite de oliva se puede conseguir en la mayoría de las tiendas de productos naturales).

Para información sobre cómo preparar y administrar aceites esenciales más precauciones sobre su uso, vea la página 25.

Hierbas

El hinojo también sirve para ayudar a las madres primerizas a aumentar la producción de leche, dice Rose. "No sabemos realmente por qué funciona

—puede ser que estimule la producción de hormonas— pero sí ayuda a hacer fluir la leche". La herbolaria recomienda empezar cada día bebiendo una taza de infusión de semillas de hinojo. Usted misma puede prepararla si hierve 1 cucharadita de estas semillas en una taza de agua caliente durante de 3 a 10 minutos. Cuele las semillas, luego beba una taza de infusión (deje que se enfríe hasta una temperatura agradable para beber, por supuesto).

Homeopatía

Si usted come bien y obtiene descanso suficiente pero todavía tiene dificultad para producir leche, la preocupación, la ansiedad y el estrés pueden estar agravando la situación, de acuerdo con la Dra. Maesimund Panos, una homeópata de Tipp City, Ohio. Para aliviar problemas de amamantamiento relacionados con el estrés, la Dra. Panos recomienda tomar dos tabletas de *Ignatia* en una dosis de 6X tres veces al día hasta que la producción de leche empiece a aumentar. Si el estrés no es el problema, ella sugiere que pruebe *Calcarea phosphorica* en la misma dosis. Usted deberá de experimentar una gran mejoría en pocos días.

Si usted sospecha que tiene un conducto de leche tapado o un pecho inflamado, vea a su médico. Pero también puede probar *Phytolacca* en una dosis de 6X tres o cuatro veces al día hasta que empiece a notar una mejoría, dice la Dra. Panos.

Masaje

Un masaje de tres partes en los senos puede ayudar a aliviar dolor y congestión, dice Elaine Stillerman, L.M.T., una masajista de la ciudad de Nueva York. Ella sugiere hacer el masaje de la siguiente forma: frote una cantidad pequeña de aceite o crema de masaje entre las manos para calentarlo. Luego frote uno o los dos pechos. Haga círculos grandes alrededor de la parte de afuera del seno pero evite tocar directamente el pezón o la areola. Haga esto por varios minutos. Ahora masajee uno a la vez, use las yemas de los dedos de una mano para hacer círculos pequeños alrededor de la parte exterior. Después de varios minutos, repita el mismo movimiento en el otro pecho. Luego coloque las manos extendidas a ambos lados de la areola, con los pulgares apuntando hacia su cabeza y los dedos apuntando hacia la cintura. Lentamente deslice las manos fuera de la areola hasta alcanzar el borde del pecho. Asegúrese de no tocar la parte sensible de la areola. Cambie la dirección de sus manos levemente para cubrir una porción distinta del pecho y repita. Haga esto por 1 ó 2 minutos, luego masajee el otro pecho. Stillerman recomienda masajearse una vez al día cuando sufra de dolor o congestión.

Vitaminas y minerales

Para curar pezones que están doloridos como consecuencia del amamantamiento, usted puede abrir una cápsula de vitamina E y frotar el líquido en las áreas sensibles, sugiere el Dr. Whitaker. "La vitamina E es balsámica y ayuda a curar cualquier resquebrajamiento de la piel que usted pueda tener". Limpie todo exceso de líquidos de la vitamina E antes de amamantar otra vez.

(*Nota:* Para conseguir los remedios naturales recomendados en este capítulo, consulte la lista de tiendas en la página 170).

Problemas de embarazo

El embarazo trae muchos cambios que son muy gratos, y usted sin duda gozará de las alegrías de la maternidad. Pero las mujeres embarazadas también pueden enfrentar un montón de dificultades, desde problemas menores hasta problemas serios.

Uno de los más peligrosos es la preeclampsia, que es una combinación de presión arterial alta, hinchazón y aumento de peso que afecta a alrededor del 5 al 7 por ciento de las mujeres embarazadas y que puede amenazar la salud de la madre y el bebé.

El embarazo puede causar otros tipos de molestias que no son tan críticas, entre ellas: náuseas y vómitos, dolor de espalda, hinchazón de las piernas, pies, tobillos y manos, estrías, hemorroides, e inclusive enfermedades menores de las encías. (¿Sabía usted que el embarazo también puede cambiar temporalmente la curva de los ojos y hacer que le sea difícil usar lentes de contacto?). Las mujeres embarazadas deben acudir a chequeos (revisiones) regulares con su médico. Los remedios naturales en este capítulo —usados en conjunto con cuidado médico y la aprobación de su doctor— pueden ayudarla a aliviar los problemas de embarazo, de acuerdo con algunos profesionales de salud.

Consulte al médico cuando. . .

- **Experimente hinchazón repentina en cualquier parte del cuerpo.**
- **Se sienta deshidratada o no esté orinando.**
- **Esté bajando de peso.**
- **No pueda mantener nada en el estómago, incluso agua y/o jugo, por un período de 24 horas.**
- **Sus encías sangren y tenga también hinchazón, dolor y mal aliento persistente a pesar de una higiene dental regular.**
- **Sienta una disminución en el movimiento del feto o un patrón de movimiento diferente.**
- **Comience a tener problemas de la vista tales como visión doble o tenga dolores de cabeza persistentes.**

Aromatoterapia

Para prevenir o minimizar las estrías, la aromatoterapeuta Victoria Edwards, de Fair Oaks, California, recomienda este aceite fragante: agregue 20 gotas de aceite esencial de mandarina y 5 de aceite esencial de jazmín a 4 onzas (120 ml) de loción sin aroma, aceite de masaje o manteca de cacao. "Yo les digo a las mujeres que empiecen a usar esta mezcla en el cuarto mes o tan pronto como la piel se les comience a estirar", dice Edwards. Aplique diariamente después de un baño o una ducha, y mientras la piel esté todavía húmeda, en los senos, el abdomen y en todos los lugares donde la piel se haya estirado, recomienda.

Para información sobre cómo preparar y administrar aceites esenciales más precauciones sobre su uso, vea la página 25.

Hierbas

La infusión de hojas de frambuesa roja (*red raspberry leaf tea*) tonifica los músculos uterinos, dice Rosemary Gladstar, una herbolaria de Barre, Vermont. Esta infusión, además de ser rica en hierro, tiene un sabor agradable y se puede beber durante el embarazo. Para aliviar los síntomas de las náuseas matutinas, Gladstar aconseja que beba infusión de jengibre con un poco de miel y limón. También afirma que la infusión de manzanilla ayuda con la digestión y que sus efectos calmantes la ayudarán a relajarse.

Debe probar estas infusiones en forma de bolsa para que le sea más fácil. Están disponibles en la mayoría de las tiendas de productos naturales.

Homeopatía

Si usted sufre náuseas por la mañana y tan sólo la idea de comer la hace sentirse mal, pruebe *Colchicum autumnale* en una dosis de 6X, dice la Dra. Maesimund Panos, una homeópata de Tipp City, Ohio. Si tiene necesidad de beber agua fría pero vomita tan pronto como el agua se calienta en el estómago, la Dra. Panos sugiere *Phosphorus* en una dosis de 6X. Si vomita por la mañana cuando se levanta pero se siente mejor después de comer, *Nux vomica* en una dosis de 6X puede aliviarla, afirma. Si tiene náuseas sin ningún otro síntoma, pruebe *Natrum phosphoricum* en una dosis de 6X.

Para cada uno de estos remedios, la Dra. Panos sugiere tomar una dosis cada 15 minutos hasta que las náuseas empiecen a desaparecer, aunque agrega esta precaución: no exceda cuatro dosis en un día de ninguno de estos remedios sin consultar a su homeópata.

Jugos

El jengibre relaja el sistema intestinal y es muy efectivo para combatir las náuseas matutinas, explica Michael Murray, N.D., un naturópata y autor de libros sobre jugos terapéuticos. Recomienda hacer un jugo con una rodaja fina de jengibre fresco (aproximadamente 6.25 mm de espesor), medio puñado de menta fresca, un kiwi y un cuarto de piña (ananá) fresca.

Para información sobre técnicas para hacer jugos, vea la página 50.

Masaje

Un masaje de tres partes en los senos puede ayudar a aliviar dolor y congestión, dice Elaine Stillerman, L.M.T., una masajista de la ciudad de Nueva York. Frote una cantidad pequeña de aceite o crema de masaje entre las manos para calentarlo. Luego masajee uno o los dos pechos. Haga círculos grandes alrededor de la parte de afuera del seno, pero evite tocar directamente el pezón o la areola. Haga esto por varios minutos. Ahora masajee uno a la vez, use las yemas de los dedos de una mano para hacer círculos pequeños alrededor de la parte exterior. Después de varios minutos, repita el mismo movimiento en el otro pecho. Luego coloque las manos extendidas a ambos lados de la areola, con los pulgares apuntando hacia su cabeza y los dedos apuntando hacia la cintura. Deslice lentamente las manos fuera de la areola hasta alcanzar el borde del pecho. Asegúrese de no tocar la parte sensible de la areola. Cambie la dirección de sus manos levemente para cubrir una porción distinta del pecho y repita. Haga esto por 1 ó 2 minutos, luego masajee el otro pecho. Stillerman recomienda hacer esto una vez al día cuando sufra de dolor o congestión en los senos.

(*Nota:* Para conseguir los remedios naturales recomendados en este capítulo, consulte la lista de tiendas en la página 170).

PROBLEMAS DURANTE LA MENOPAUSIA

Los estadounidenses la solían llamar "el cambio de vida" y para muchas mujeres ese nombre describe bien lo que están experimentando. La menopausia no es solamente el final de los años en que una mujer puede concebir sino es el comienzo de una nueva etapa.

La mayoría de las mujeres experimenta menopausia después de los 40 ó 50 años de edad. Como la pubertad y el embarazo, la menopausia está llena de cambios físicos y psicológicos causados por transformaciones en la composición hormonal de la mujer. Estos cambios pueden causar sudores nocturnos, sequedad vaginal y sofocos (bochornos, calentones). La menstruación se vuelve irregular y finalmente se detiene. Para algunas mujeres, este proceso lleva tan poco como 6 meses; otras tienen síntomas por 3 años o más. Los remedios naturales en este capítulo —usados en conjunto con cuidado médico y la aprobación de su doctor— pueden ayudar a disminuir la severidad de los síntomas de menopausia, de acuerdo con algunos profesionales de salud.

Consulte al médico cuando. . .

- **Sus sofocos sean tan fuertes y frecuentes que resulten en fatiga, depresión, cambios de ánimo o interrupción del sueño.**
- **Esté recibiendo la terapia de reposición hormonal y no sangre en el ciclo que el médico le dijo.**

- **Sangre después de que su ciclo menstrual haya cesado por 6 meses o más.**

Alimentos

Siga un régimen vegetariano bajo en grasa, sugiere el Dr. Michael A. Klaper, un especialista en medicina nutritiva de Pompano Beach, Florida.

"Para las 'veganas' —las vegetarianas estrictas que no comen productos animales, ni siquiera lácteos—, la menopausia tiende a ser una transición bastante fácil, mientras que aquellas que tienen la típica alimentación estadounidense cargada de carne y alta en grasa tienen problemas peores", explica. "Una alimentación alta en grasa produce niveles altos de estrógeno y cuando una mujer está pasando por la menopausia hay una caída grande en los niveles de estas hormonas, lo que causa una cantidad tremenda de sofocos. Pero una alimentación vegetariana y baja en grasa parece mantener los niveles hormonales naturales estables y menos propensos a causar problemas".

Aromatoterapia

El aceite esencial de salvia esclarea (amaro, *clary sage*), usado en un difusor del hogar, puede ayudar a aliviar los sofocos, dice Jeanne Rose, una herbolaria de San Francisco, California. Para andar con un "alivio portátil", ella sugiere llevar consigo un pañuelo aromatizado con 1 gota de salvia esclarea e inhalar cada vez que sienta que va a tener un sofoco. Mantenga el pañuelo en una bolsa de plástico, de manera que el olor no se disipe.

Para información sobre cómo preparar y administrar aceites esenciales más precauciones sobre su uso, vea la página 25.

Hierbas

Estudios científicos conducidos en Europa demuestran que la cimifuga negra (hierba de la chinche, *black cohosh*) puede ser efectiva para aliviar los malestares relacionados con la menopausia, de acuerdo con Varro E. Tyler, Ph.D., profesor de Farmacognosia (el estudio de los fármacos derivados de fuentes naturales) en la Universidad de Purdue en West Lafayette, Indiana. En un estudio, un grupo de mujeres menopáusicas sufrieron menos sofocos y sintieron menos tensión nerviosa después de tomar esta hierba.

El Dr. Tyler dice que la cimifuga negra se puede adquirir en la mayoría de las tiendas de productos naturales, donde generalmente se vende como extracto. Él aconseja seguir las recomendaciones de dosis en la etiqueta y, dado que no hay estudios sobre los efectos de la hierba a largo plazo, sugiere no consumirla continuamente por más de 6 meses. En cambio, recomienda tomarla por 6 meses, dejar de tomarla durante 1 mes y luego empezar el tratamiento de nuevo. Puede seguir este régimen por tanto tiempo como persistan los síntomas de la menopausia.

Homeopatía

El Dr. Andrew Lockie, un autor de libros acerca de la homeopatía, sugiere tomar uno de los siguientes remedios cada 12 horas por hasta 7 días para sobrellevar la menopausia.

Si usted siente que habla más de lo normal, está mareada, se despierta con dolor de cabeza, tiene una sensación de presión alrededor del vientre, sofocos y mucho flujo menstrual, el Dr. Lockie sugiere probar *Lachesis*. En cambio, *Sepia* (en potencia de 30C) le servirá si es que se siente irritable, con escalofríos y llorosa y si tiene dolor de espalda, períodos en que suda mucho, sofocos y un flujo menstrual generalmente abundante. De acuerdo con él, *Amyl nitrosum* 30C es un buen remedio para los sofocos que se desarrollan repentinamente.

Pulsatilla 30C es el remedio adecuado si usted padece sofocos, hemorroides y venas varicosas, prefiere los espacios al aire libre en lugar de las habitaciones cerradas y está frecuentemente llorosa y con escalofríos, dice el Dr. Lockie. Él recomienda *Sulphuric acidum* si se siente fatigada y sus sofocos parecen peores por la noche o después de hacer ejercicio. Para calmar sofocos que se agravan alrededor de las tres de la mañana y que están acompañados por pérdida del apetito, dolores de espalda, palpitaciones cardíacas y nerviosismo, tome *Kali carbonicum*.

Jugos

"Los sofocos generalmente surgen cuando las mujeres beben vino o café, lo cual acidifica la sangre y tensa el hígado", dice Eve Campanelli, Ph.D., una doctora holística de medicina familiar de Beverly Hills, California. "Una forma de disminuir esta acidificación es disminuir el consumo de estas bebidas y beber más jugos de verduras frescas, lo cual neutraliza el efecto al alcalinizar el organismo". Ella recomienda una mezcla para estimular el hígado que consiste en 8 onzas (240 ml) de jugo de zanahorias, 1 onza (30 ml) de jugo de remolacha (betabel), 4 onzas (120 ml) de jugo de apio y de ½ a 1 onza de jugo de perejil. Beber un vaso de 8 onzas de esta mezcla por la mañana y el resto por la tarde puede prevenir o reducir los sofocos, dice la Dra. Campanelli.

Para información sobre técnicas para hacer jugos, vea la página 50.

Relajamiento y meditación

La respiración lenta y profunda puede reducir el número y la severidad de los sofocos al calmar el sistema nervioso central, dice Robert R. Freedman, Ph.D., profesor de Psiquiatría en la Universidad Wayne State en Detroit, Michigan. Practique la respiración profunda dos veces al día durante 15 minutos como medida preventiva o úsela como tratamiento al momento que le dé un sofoco, dice el Dr. Freedman. Para aprender una técnica de respiración profunda, vea al final de la página 69.

Vitaminas y minerales

Usted puede ser capaz de reducir la severidad de los síntomas de la menopausia con el siguiente régimen de vitaminas y minerales, dice el Dr. Elson Haas, director del Centro de Medicina Preventiva de Marín en San Rafael, California: de 300 a 500 miligramos de magnesio, de 500 a 1,000 miligramos de calcio, 800 unidades internacionales (*IU*, por sus siglas en inglés) de vitamina E (400 IU dos veces al día) y un suplemento de vitaminas y minerales que contenga por lo menos 100 por ciento de las seis vitaminas B importantes (tiamina, riboflavina, niacina, la vitamina B_6, vitamina B_{12} y ácido pantoténico). "También es una buena idea tomar suplementos de aceite de prímula (primavera) nocturna, (*evening primrose oil*) de acuerdo con las especificaciones del fabricante", agrega.

(*Nota:* Para conseguir los remedios naturales recomendados en este capítulo, consulte la lista de tiendas en la página 170).

Problemas menstruales

Igual que la factura del teléfono o el recibo de la hipoteca, llega una vez al mes. E igual que estas anteriores, por lo general no es nada bienvenida.

Aunque hay algunas mujeres afortunadas que casi no notan que les ha venido y sufren nada más que unos dolorcitos suaves que desaparecen rápidamente, muchísimas sufren dolores de cabeza, sangran mucho y tienen que soportar unos cólicos (dolores menstruales) lo suficientemente fuertes como para perder un día de escuela o de trabajo. Sume todos los días en que una mujer tiene su período y se dará cuenta de que pasamos mucho tiempo menstruando. Los remedios naturales en este capítulo —usados con la aprobación de su doctor— pueden ayudar a aliviar los síntomas de la menstruación, de acuerdo con algunos profesionales de salud.

Consulte al médico cuando. . .

- **Sea una mujer adulta y experimente cólicos (dolores menstruales) por primera vez o tenga coágulos por primera vez.**
- **Esté tomando píldoras anticonceptivas y experimente dolores menstruales muy fuertes.**
- **Experimente náuseas, dolores de cabeza, diarrea, vómitos y también dolores menstruales.**
- **Tenga dolores menstruales fuertes y flujo menstrual muy abundante por más de 1 día.**
- **Sus dolores menstruales interfieran con su actividad normal o cuando no se alivien con aspirina o ibuprofén.**
- **Sangre mucho y se sienta débil y mareada durante su período o cuando sangre entre un período y otro.**
- **Tenga un flujo menstrual abundante y sus períodos ocurran con más de 45 días de separación.**

Hierbas

Beba una infusión de viburno (*black haw*) para aliviar los cólicos fuertes, aconseja Rosemary Gladstar, una herbolaria de Barre, Vermont. Para prepararla, hierva a fuego lento 4 cucharadas de viburno y 1 cucharada de raíz seca de jengibre en ¼ de galón (.95 l) de agua durante 20 minutos. (El jengibre no sólo mejora el sabor de la infusión sino también mejora la circulación y es un antiespasmódico). Apague la candela y agregue 2 cucharadas de raíz seca de valeriana y 2 cucharadas de hojas secas de poleo (*pennyroyal*). Deje reposar durante otros 15 a 20 minutos. Cuele las hierbas. Beba ¼ de taza de esta infusión cada 15 minutos hasta que su dolor se calme. Nunca debe tomar poleo si está embarazada.

Homeopatía

El dolor menstrual ocasional se puede aliviar con unas pocas dosis de uno de los siguientes remedios homeopáticos, de acuerdo con la Dra. Maesimund Panos, una homeópata de Tipp City, Ohio. Si usted se retuerce por el dolor o puede aliviar sus dolores mensuales al presionar un libro o una almohada sobre el abdomen, la Dra. Panos sugiere probar *Colocynthis* en una dosis de 30C. También recomienda *Magnesia phosphorica* en una dosis de 30C si colocar una almohadilla caliente o una botella de agua tibia sobre el estómago le alivia el dolor. Si usted produce sangre roja y brillante durante su período y su dolor menstrual viene y va, pero cuando le da, se siente como si el útero estuviera tratando de empujar para salir de su cuerpo, pruebe *Belladonna* en una dosis de 30C. Si se siente impaciente e irritable, la doctora recomienda *Chamomilla* en una dosis de 30C.

Tome el remedio que elija cada 15 minutos hasta cuatro dosis, luego espere dos horas, dice la Dra. Panos, y aconseja que repita la dosis si no siente ninguna mejoría.

Jugos

Para aliviar los cólicos, pruebe esta mezcla de jugos de manzana, apio e hinojo, sugiere Michael Murray, N.D., un naturópata y autor de libros sobre jugos terapéuticos. Prepárela con dos manzanas, dos tallos de apio y un bulbo pequeño de hinojo. De acuerdo con el Dr. Murray, el apio y el hinojo son ricos en fitoestrógenos, los cuales simulan los efectos de la hormona femenina por lo que pueden reducir la molestia menstrual. Él recomienda tomar dos vasos de 8 onzas (240 ml) de este jugo todos los días junto a un tratamiento médico adecuado.

Las mujeres que sufren dolores menstruales también se pueden beneficiar si beben jugo fresco de piña (ananá), de acuerdo con Cherie Calbom, M.S., una nutricionista certificada de Kirkland, Washington. "La piña es rica la enzima bromelina, que se considera un relajante muscular", dice Calbom.

Para información sobre técnicas para hacer jugos, vea la página 50.

Masajes

Los siguientes masajes pueden ayudar a aliviar los cólicos, de acuerdo con Elaine Stillerman, L.M.T., una masajista de la ciudad de Nueva York. Primero, acuéstese boca arriba con las piernas dobladas. Presione suavemente la palma de sus manos sobre el área púbica. Luego empiece a hacer círculos pequeños con las yemas de los dedos, moviéndolos sobre el útero en sentido de las agujas del reloj. Continúe por 3 ó 5 minutos.

Luego, acuéstese sobre un lado, con una almohada (cojín) debajo del cuello y otra entre las rodillas. Alcance su espalda, y con la palma de la mano masajee el sacro —el hueso con forma de triángulo en la base de la columna— en el sentido de las agujas del reloj. Vaya alejándose del sacro con movimientos espirales hasta que haya masajeado completamente la parte inferior de la espalda. Continúe por 5 ó 7 minutos.

(*Nota:* Para conseguir los remedios naturales recomendados en este capítulo, consulte la lista de tiendas en la página 170).

Retención de líquidos

Sin lugar a dudas, su cuerpo necesita agua para vivir. Pero no hay necesidad de acumularla. Usted bien puede vivir sin dedos hinchados, piernas regordetas y la barriga inflada, que es lo que ocurre con la retención de líquidos.

Hay muchas cosas que pueden hacer que retenga cantidades excesivas de agua, entre ellas demasiada sal en su alimentación, cambios hormonales, los esteroides, el ciclo menstrual e inclusive el embarazo. La mayoría de las veces, aunque es algo incómodo, este mal es pasajero e inofensivo. Pero si la hinchazón no disminuye o si al tocarse la piel con un dedo deja una marca, esto puede ser un signo de problemas con el hígado, los riñones, el corazón o la tiroides. Los remedios naturales en este capítulo —en conjunto con cuidado médico y usados con la aprobación de su doctor— pueden ayudar a aliviar la retención de líquidos, de acuerdo con algunos profesionales de salud.

Consulte al médico cuando. . .

- **Tenga hinchazón en el abdomen o las extremidades que dure más de una semana y su piel se "abolle" cuando la toca con un dedo.**
- **Esté embarazada y note una hinchazón repentina, especialmente en las piernas.**

Alimentos

"La retención de líquidos generalmente significa que hay demasiado sodio en la alimentación", dice el Dr. Michael A. Klaper, un especialista en medicina nutritiva de Pompano Beach, Florida. La solución: trate de limitar su consumo de sodio a 2,000 miligramos (menos de 1 cucharadita) al día. Para lograr esto, evite los condimentos y otros alimentos ricos en sal y sodio. También recomienda comer alimentos ricos en potasio, ya que este puede contrarrestar el exceso de sodio. (Vea "Lo que usted necesita" en las páginas 92 y 93 para consultar una lista de alimentos ricos en potasio).

Aromatoterapia

Los aceites esenciales de geranio, ciprés y enebro (nebrina, tascate, *juniper*) ayudan a aliviar la retención de agua cuando se agregan al agua de la bañera (bañadera, tina), de acuerdo con Judith Jackson, una aromatoterapeuta de Greenwich, Connecticut. Su recomendación es agregar 20 gotas de cada uno de esos aceites a un baño tibio y remojarse por 10 minutos.

Para información sobre cómo preparar y administrar aceites esenciales más precauciones sobre su uso, vea la página 25.

Hierbas

Pruebe una infusión de diente de león (amargón, *dandelion*) y raíz de bardana, recomienda Rosemary Gladstar, una herbolaria de Barre, Vermont. Según ella, el diente de león es rico en potasio y ayuda a crear el equilibrio adecuado de líquidos que el cuerpo necesita, mientras que la bardana es un suave diurético natural.

Esta es la receta de Gladstar: mezcle dos partes de diente de león, dos de raíz de bardana y una de raíz de malvavisco. Agregue 3 ó 4 cucharadas de esta mezcla de hierbas a ¼ de galón (0.95 l) de agua fría y hágala hervir. Deje que hierva por 15 minutos. Quítela del fuego, cuélela y deje que se enfríe. Gladstar sugiere beber tres o cuatro tazas de esta infusión durante el día.

Jugos

La mezcla de jugos Fórmula Diurética fue desarrollada por el naturópata Michael Murray, N.D., un autor de libros sobre jugos terapéuticos, para aliviar la retención de líquidos. Su receta es la siguiente: haga un jugo con un puñado de hojas de diente de león, dos tallos de apio y cuatro zanahorias. Beba esta mezcla dos veces al día junto con un tratamiento médico adecuado.

Para información sobre técnicas para hacer jugos, vea la página 50.

(*Nota:* Para conseguir los remedios naturales recomendados en este capítulo, consulte la lista de tiendas en la página 170).

SÍNDROME PREMENSTRUAL

La mayoría de las mujeres conocemos bien los síntomas de este mal común: sensibilidad en los senos, acné, aumento de peso, hinchazón, cambios en el estado de ánimo, antojos de alimentos, dolores de cabeza, náuseas, diarrea y estreñimiento. Estos son los reveladores síntomas del síndrome premenstrual (o *PMS* por sus siglas en inglés).

Los expertos todavía no están seguros de qué es lo que causa el PMS. Algunas investigaciones demuestran que está relacionado con cambios hormonales que ocurren durante el ciclo menstrual de la mujer. Los síntomas pueden surgir durante la ovulación o justo antes de menstruar, o pueden aparecer, desaparecer y volver a aparecer durante el mismo ciclo. Para aproximadamente 1 de 20 mujeres, la combinación es tan mala que crea una depresión general que afecta sus vidas diarias. Los remedios naturales en este capítulo —usados en conjunto con cuidado médico y la aprobación de su doctor— pueden ayudar a aliviar los síntomas premenstruales, de acuerdo con algunos profesionales de salud.

Consulte al médico cuando. . .

- **Sus síntomas de PMS sean tan fuertes que interfieran con su vida cotidiana.**
- **Muestre signos de depresión que ocurren regularmente durante su ciclo menstrual, entre ellos antojos de comidas, llanto, insomnio, aislamiento emocional y cambios en su estado de ánimo.**

Alimentos

"El PMS mejora con una alimentación baja en grasa", dice el Dr. Michael A. Klaper, un especialista en medicina nutritiva de Pompano Beach, Florida. Las comidas altas en grasa, especialmente las que son altas en grasa animal, aumentan los síntomas y el dolor, por lo que aconseja que reduzca el consumo —o elimine de su alimentación— de la carne de res, el cordero y el cerdo. El Dr. Kapler sugiere utilizar aceites insaturados que contienen el ácido graso omega-3 como el de semilla de lino (aceite de linaza, *flaxseed oil*), el de *canola*, nuez y semilla de calabaza para sustituir la mantequilla. Estos aceites se pueden adquirir en la mayoría de las tiendas de productos naturales.

Además, una mujer con PMS puede probar crema de *Progest HP*, que está hecha del alimento barbasco (batata silvestre, *wild yam*), dice el Dr. David Edelberg, internista y director médico del Centro Holístico Estadounidense en Chicago. Para usar la crema, aplique de ¼ a ½ cucharadita sobre las caderas, el estómago, las asentaderas o los muslos tres veces al día desde el momento en que ovula hasta el final de su período. También recomienda reducir los productos lácteos y eliminar la cafeína, el azúcar y el alcohol.

Hierbas

Para prevenir o reducir síntomas premenstruales, Rosemary Gladstar, una herbolaria de Barre, Vermont, recomienda un régimen diario de los siguientes aceites: el aceite de pescado, el aceite de semilla de lino, el aceite de prímula (primavera) nocturna (*evening primrose oil*) o el aceite de semilla negra de pasa de Corinto (*black currant seed oil*). Estos aceites son ricos en ácidos gama-linoleícos, los cuales le ayudan a aliviar los síntomas de PMS, en particular la sensibilidad en los senos, afirma. Ella recomienda tomar 500 miligramos de cualquiera de estos aceites tres veces al día (todos los días, no solamente cuando esté experimentando los síntomas) o seguir las recomendaciones de dosis en la etiqueta del producto. Estos aceites están disponibles en la mayoría de las tiendas de productos naturales.

Homeopatía

Aunque el PMS es tratado por los homeópatas de manera individualizada, usted puede probar uno de los remedios generales de potencia 30C antes de buscar ayuda profesional, indica el Dr. Andrew Lockie, un autor de libros sobre la homeopatía. Su sugerencia es tomar el remedio para los síntomas con los que usted más se identifica cada 12 horas por 3 días. Debe comenzar 24 horas antes del momento en que el PMS generalmente empieza en su ciclo.

Si sus senos están sensibles y sus síntomas son peores por la mañana, pruebe *Lachesis*, dice el Dr. Lockie. Recomienda *Calcarea* si usted tiene antojo de huevos y dulces, padece sudores fríos y senos adoloridos e hinchados y si se siente cansada y torpe. De acuerdo con él, *Nux vomica* le ayudará si usted se siente irritable, con escalofríos y estreñimiento, si orina con frecuencia y tiene antojo de dulces y comidas altas en grasa. Si no tiene interés en el sexo, tiene antojos de dulces o comidas saladas y se siente irritable, llorosa, con escalofríos y emocionalmente desapegada, pruebe *Sepia*.

Jugos

El betacaroteno y el magnesio pueden ayudar a reducir los síntomas de PMS, dice Cherie Calbom, M.S., una nutricionista certificada de Kirkland, Washington. Ella recomienda aumentar el consumo de betacaroteno durante la semana anterior a su período y hacerlo con un jugo de cinco a siete zanahorias (para obtener betacaroteno) y un puñado de perejil (para obtener magnesio) todos los días. Si usted experimenta hinchazón premenstrual debido a la retención de agua, beba jugo de uvas frescas o de sandía una vez al día. "Estos son diuréticos naturales", dice Calbom.

Para información sobre técnicas para hacer jugos, vea la página 50.

Vitaminas y minerales

"Los tratamientos clave son la vitamina B_6, el aceite de prímula nocturna, calcio y magnesio", dice el Dr. Elson Haas, director del Centro de Medicina Preventiva de Marín en San Rafael, California. Su recomendación es tomar 50 miligramos de vitamina B_6 dos veces al día más las Asignaciones Dietéticas Recomendadas (*RDA* por sus siglas en inglés) de calcio y magnesio. Empiece de 7 a 10 días antes de su período y continúe hasta que su período comience. (Las RDA para estos nutrientes están en una lista en "Lo que usted necesita" en la página 86). Con respecto a la dosis que debe ingerir de aceite de prímula nocturna, el Dr. Haas dice que debe seguir las recomendaciones del fabricante en el paquete. Estos suplementos están disponibles en la mayoría de las tiendas de productos naturales.

El Dr. Edelberg recomienda un régimen suplementario algo distinto que también podría probar. Consiste en lo siguiente: 400 unidades internacionales (*IU*, por sus siglas en inglés) de la vitamina E dos veces al día; 50 miligramos de piridoxina dos veces al día; 50 miligramos del complejo de las vitaminas B al día; 400 miligramos de magnesio dos veces al día; y una cápsula de aceite de prímula nocturna dos veces al día. Estas cápsulas se pueden adquirir en la mayoría de las tiendas de productos naturales.

(*Nota:* Para conseguir los remedios naturales recomendados en este capítulo, consulte la lista de tiendas en la página 170).

SOBREPESO

Unos pastelitos por aquí, unos tamales por allá, tal vez unas masitas de puerco o una pizza entre todo eso. Usted come normalmente, no es una comelona y además lleva una vida activa, ¿verdad? No obstante, sin que nos demos cuenta, las calorías se acumulan y muchas veces vienen a parar en nuestras barrigas, muslos y asentaderas, seamos activas o no. Esta progresión sutil puede presentarnos uno de los problemas de salud más comunes: el sobrepeso.

A veces aumentamos de peso por razones médicas. Enfermedades del sistema endocrino o problemas de metabolismo pueden hacer que una almacene más grasa. Pero la mayoría de nosotras acumulamos kilos de más de la forma más antigua y tradicional: al comer demasiado y al no hacer suficiente ejercicio.

El sobrepeso puede conducir a varios problemas de salud, entre ellos la presión arterial alta, las cardiopatías, la diabetes, el dolor de espalda y en las articulaciones y una tendencia creciente a contraer enfermedades infecciosas. Pero bajar de peso puede ayudarla a combatir estas y otras afecciones como la osteoartritis. Los remedios naturales en este capítulo —usados con la aprobación de su médico— pueden ayudarla a prevenir el sobrepeso o a bajar de peso, de acuerdo con algunos profesionales de salud.

Consulte al médico cuando...

- **Suba de peso repentinamente, especialmente después de empezar a tomar un nuevo medicamento.**

- **Note que está orinando más por la noche o tenga antecedentes médicos de dolor de pecho o problemas del corazón.**
- **Suba de peso y desarrolle también insomnio o se sienta débil o deprimida.**

Alimentos

Consuma más fibra, sugiere Rosemary Newman, R.N., Ph.D., profesora de Alimentos y Nutrición en la Universidad de Montana en Bozeman, que ha estudiado la fibra y su relación con el colesterol desde los comienzos de los años 80. La fibra dietética llena mucho, por lo que usted come menos, explica. Además, agrega, las comidas altas en fibra tienden a ser muy bajas en calorías y grasa, así que son excelentes para cualquier plan para bajar de peso.

La Dra. Newman recomienda ingerir al menos unos 25 gramos de fibra al día. (La mayoría de las mujeres sólo consume 11). Ella dice que las frutas, las verduras y los cereales integrales en panes y cereales son buenas fuentes de fibra. La fibra soluble, que actúa para bajar el colesterol, está presente en la cebada, la avena y las legumbres como los frijoles (habichuelas) secos, explica.

Hierbas

Aunque es típicamente utilizado como un laxante, el *psyllium* también puede controlar un apetito grande, dice Silena Heron, N.D., profesora auxiliar del Colegio del Suroeste de Medicina Naturópata y Ciencias de la Salud de Tempe, Arizona. Antes de las comidas, tome 1 ó 2 cucharadas de la cáscara molida (hasta 6 cucharadas al día) con mucha agua (dos a tres vasos de 8 onzas/240 ml). La forma en que funciona esta planta rica en fibra es al hincharse como una esponja en el tracto digestivo. Esa sensación de "estar llena" manda una señal al cerebro que le "dice" que no coma demasiado. El agua es crítica para este régimen, advierte la Dra. Heron, porque si usted se deshidrata, el *psyllium* puede causar oclusiones en el tracto digestivo.

Es más, diversos estudios que se han realizado sobre la pérdida de peso han demostrado que las dietas con un contenido alto de fibra (en dichas investigaciones se utilizaban 35 gramos al día) pueden disminuir el número de las calorías (de 30 a 180) que el cuerpo absorbe diariamente. Esto se puede traducir en 19 libras (9 kg) perdidas en un año.

Para bajar de peso, la Dra. Herron recomienda consumir de 40 a 50 gramos de fibra al día. Lo ideal es obtener esa fibra de las verduras, frutas y cereales. Las manzanas son fuentes excelentes de fibra, ya que cada una contiene 3.5 gramos; ½ taza de zanahorias o una papa contienen 2.5 gramos de fibra y una rebanada de pan integral contiene 1.5 gramos. La Dra. Herron explica que si bien es siempre preferible obtener la fibra de los alimentos, si no puede hacer esto, los suplementos pueden ayudarla.

Otra hierba que puede ayudarla es el *ginseng* asiático. De acuerdo con Robert Rountree, M.D., un médico holístico del Centro de Salud Helios de Boulder, Colorado, la eficacia del *ginseng* para regular el azúcar en la sangre sugiere que puede ser útil en ayudar deshacerse de esos kilos de más.

"Los expertos en el campo de la obesidad creen que los niveles altos y continuos de la hormona insulina pueden provocar esta afección", explica el Dr. Rountree. Cuando usted consume alimentos con almidones o toma bebidas azucaradas (que contienen carbohidratos), su nivel de azúcar en la sangre se eleva y su páncreas reacciona segregando insulina para disminuir la glucosa. Los receptores de insulina permiten que la glucosa entre a las células, lo que reduce el nivel de azúcar en la sangre, explica el Dr. Rountree. A medida que envejecemos, estos receptores transportan menos glucosa a las células y los niveles altos de esta hacen que el páncreas produzca más insulina. Luego, esta hormona "ordena" a las células de grasa que conviertan el exceso de glucosa y ácidos grasos en grasas llamadas triglicéridos, que se guardan hasta que se necesiten. Mientras los niveles de glucosa —y de insulina— sean elevados, la grasa permanecerá almacenada. Cuando se acumula demasiada de esta grasa es lo que causa la obesidad.

"Si puede controlar los niveles de insulina, posiblemente pueda poner freno al proceso de almacenado de grasas desde el principio", dice el Dr. Rountree. Calcula que la mitad de sus pacientes con sobrepeso tienen niveles anormales de insulina en la sangre.

Las investigaciones muestran que el *ginseng* asiático, también conocido como *Panax*, *ginseng* koreano o chino, puede ayudar a corregir los niveles de azúcar en la sangre. En un estudio realizado en Finlandia, 36 personas con diabetes tipo II (que no requiere insulina) que tomaron una dosis diaria de 200 miligramos de la planta por 8 semanas disminuyeron sus niveles de azúcar en la sangre y perdieron peso. Aun más importante, reportaron que se sentían mejor y podían ejercitarse más. Tome una dosis diaria de 200 miligramos.

Relajamiento y meditación

Lawrence LeShan, Ph.D., sugiere elegir una palabra como "hambre", "dieta", "gorda" o el nombre de su golosina favorita (como "chocolate" o "pastel") como *mantra*, que es una palabra para repetir una y otra vez. Él recomienda concentrar la mente en esa palabra hasta que se forme una asociación. Entonces si usted elije la palabra "hambre", por ejemplo, la primera asociación que le viene a la cabeza puede ser "llena". Piense en la conexión entre las dos palabras por 5 ó 6 segundos, dice el Dr. LeShan, pero no trate de encontrarle sentido emocional a la conexión o de lograr ningún pensamiento más profundo. Las ideas o los pensamientos de verdad se pueden explorar después de la meditación, explica. Luego vuelva a su *mantra* y espere la siguiente asociación. El Dr. LeShan sugiere hacer esto 15 minutos al día, cinco veces por semana, por al menos seis semanas. Le puede ayudar a entender y a controlar sus hábitos de comida.

UÑAS FRÁGILES

Usted heredó los ojos verdes deslumbrantes de su padre, la nariz perfecta de su madre y el temperamento dulce de su abuela. Desgraciadamente, si tiene las uñas frágiles, lo más probable es que estas también formen parte de su herencia biológica.

Como el color de su cabello, el espesor y la fortaleza de sus uñas pueden ser considerablemente influidos por sus genes. Ahora, también hay que tomar en cuenta que tal vez usted se esté causando el problema sin que tenga que ver con la genética. ¿Usa usted sus uñas para sacar grapas de papeles? ¿Se come las uñas constantemente? O puede ser que las exponga a productos químicos muy fuertes o use demasiado quitaesmalte, lo cual les quita humedad. Los remedios naturales en este capítulo —usados con la aprobación de su doctor— pueden ayudar a mejorar la fortaleza y apariencia de sus uñas, de acuerdo con algunos profesionales de salud.

Consulte al médico cuando. . .

- **Note cambios inexplicables y de larga duración en el color o la forma de sus uñas que no están relacionados con una herida.**

Alimentos

Coma más pescados de agua fría como salmón, caballa y arenque, aconseja el Dr. Julian Whitaker, fundador y presidente del Whitaker Wellness Center, un centro de bienestar en Newport Beach, California. "Estos alimentos son ricos en ácidos grasos omega-6, que pueden fortalecer las uñas". El Dr. Whitaker también recomienda coliflor, soya, cacahuate (maní), nueces y lentejas, que son ricos en biotina, una vitamina B que afirma puede prevenir el agrietamiento asociado con las uñas frágiles. (Para otras fuentes de biotina, vea "Lo que usted necesita" en la página 86).

Aromatoterapia

Las uñas frágiles se pueden beneficiar con un remojo tibio de aceite fragante, de acuerdo con Judith Jackson, una aromatoterapeuta de Greenwich, Connecticut. Agregue 6 gotas de aceites esenciales de lavanda (espliego, alhucema, *lavender*), 6 de laurel (*bay leaf*) y 6 de sándalo (*sandalwood*) a 6 onzas (180 ml) de aceite tibio de sésamo (ajonjolí) o de soya, sugiere Jackson. (Tanto el aceite de sésamo como el de soya se pueden conseguir en la mayoría de las tiendas de productos naturales). Ella recomienda que remoje sus uñas durante 15 minutos una o dos veces por semana.

Para información sobre cómo preparar y administrar aceites esenciales, y precauciones sobre su uso, vea la página 25.

Homeopatía

Tome uno de los siguientes remedios en una potencia de 6C tres veces al día hasta que note una mejoría, dice Chris Meletis, N.D., un naturópata de Portland, Oregon. Para fortalecer uñas frágiles acompañadas por cabello áspero y seco, especialmente si usted le teme al aire frío y las corrientes y se siente mejor en el verano y cuando hay calor, pruebe *Psorinum*, dice el Dr. Meletis. Agrega que *Graphites* puede ser útil si usted tiene uñas frágiles con piel áspera, dura, seca y resquebrajada y una tendencia a que se le infecten las heridas pequeñas.

Psorinum y *Graphites* se pueden conseguir en la mayoría de las tiendas de productos naturales.

Vitaminas y minerales

Obtenga ácidos grasos esenciales que fortalecen las uñas al tomar aceite de semilla de lino (aceite de linaza, *flaxseed oil*), dice el Dr. Julian Whitaker. Viene en forma líquida o en cápsulas, y el Dr. Whitaker sugiere seguir las recomendaciones de dosis que se detallan en la etiqueta. Este aceite se puede encontrar en la mayoría de las tiendas de productos naturales.

(*Nota:* Para conseguir los remedios naturales recomendados en este capítulo, consulte la lista de tiendas en la página 170).

Vaginitis

No hace falta demasiado para romper el equilibrio natural del cuerpo, especialmente en un área sensible como la vagina. Se puede irritar por una variedad de razones, entre ellas infecciones, tampones, condones, antibióticos, desodorantes en aerosol, irrigaciones vaginales, espermas y hasta fluctuaciones en los niveles de estrógeno.

Cuando eso ocurre, el resultado es vaginitis, una inflamación del área vaginal. La afección está marcada por dolor y picazón y a veces por secreción vaginal inusual.

Los médicos generalmente recetan medicinas para combatir la vaginitis. Si le recetaron medicamentos, asegúrese de tomárselos todos, porque si no lo hace, la infección puede volver. Los remedios naturales en este capítulo —en conjunto con cuidado médico y usados con la aprobación de su doctor— pueden ayudar a aliviar los síntomas de vaginitis y acelerar su curación, de acuerdo con algunos profesionales de salud.

Consulte al médico cuando...

- **Tenga un dolor profundo en la pelvis o glándulas hinchadas en el área de la ingle y fiebre de más de 101°F (38°C).**
- **Tenga lesiones abiertas en el área vaginal, aunque no duelan.**

Alimentos

Aunque la vaginitis puede ser causada por una variedad de razones, con frecuencia ocurre como consecuencia de un crecimiento excesivo de hongos y cierto tipo de bacterias anormales, dice el Dr. Elson Haas, director del Centro de Medicina Preventiva de Marín en San Rafael, California. De acuerdo con el Dr. Haas, el yogur, que contiene cultivos lácteos, ha demostrado reducir las bacterias y el crecimiento excesivo de fermento. Recomienda tomar una o dos tazas de yogur al día durante 3 o 4 días. También recomienda evitar productos fermentados como los alimentos horneados (como los panes y los pasteles/bizcochos/*cakes*), el alcohol y el vinagre. Para vaginitis recurrentes relacionadas con fermento excesivo, sugiere su dieta de desintoxicación de tres semanas (vea "Cómo desintoxicarse" en la página 18).

Hierbas

Pruebe una pomada (ungüento) de corazoncillo (hipérico, campasuchil, yerbaniz, *St. John's wort*) o de caléndula para aliviar la picazón e irritación que causa la vaginitis, dice Rosemary Gladstar, una herbolaria de Barre, Vermont. Estos productos se venden en la mayoría de las tiendas de productos naturales. Gladstar sugiere seguir las instrucciones de aplicación que figuran en la etiqueta.

Aviva Romm, una herbolaria de Bloomfield Hills, Michigan, recomienda los enjuagues herbarios porque "son calmantes, balsámicos y antimicrobianos".

Para preparar el enjuague herbario de Romm, mezcle partes iguales de caléndula seca, hojas de milenrama (alcaina, milhojas, *yarrow*), lavanda (alhucema, espliego, *lavender*), y raíz de consuelda (*comfrey*). Ponga 2 onzas (56 g) de la mezcla en una olla con una capacidad de 2 cuartos de galón (2 l) y échele 2 cuartos de galón de agua hirviendo. Cúbralo y déjelo reposar durante 30 minutos. Deje que el enjuague se enfríe hasta que esté tibio y cuélelo. Agregue 4 onzas (120 ml) del enjuague a una botella perineal (una botellita de plástico diseñada para lavar el área genital exterior que se consigue en tiendas de productos médicos y en algunas farmacias) y rocíe un chorro del enjuague sobre su área vaginal después de haber orinado, sugiere Romm. Repita esto varias veces al día hasta que use todo el enjuague.

La caléndula alivia la inflamación y, como la lavanda, es antimicrobiana. La raíz de consuelda alivia también y contiene alantoína, que fomenta el crecimiento de células y ayuda a sanar cualquier fisura o irritación que haya. La milenrama, que es un astringente, calma la inflamación y tonifica los tejidos.

Homeopatía

Si tiene una secreción que causa ardor, es cremosa y amarillenta o verdosa, empeora por la noche y después de comer y puede estar acompañada de escalofríos por períodos irregulares o falta de períodos, pruebe una dosis de 6X de *Pulsatilla* tres veces al día o una dosis de 30C una o dos veces al día hasta que empiece a sentirse mejor, dice la Dra. Cynthia Mervis Watson, una doctora de medicina familiar de Santa Mónica, California, especializada en terapias de hierbas y la homeopatía. Agrega que una dosis similar de *Sepia* ayudará si usted tiene dolor durante las relaciones sexuales y una secreción verdosa o amarillenta que causa ardor.

Para una secreción vaginal que causa ardor y causa sarpullidos en la piel que empeoran con un baño, el calor o cuando bebe alcohol, y si usted es propensa a tener sarpullidos en la piel, la Dra. Watson recomienda probar una dosis de 6X de *Sulphur* tres veces al día o una dosis de 30C una o dos veces al día. Si la vulva está hinchada, arde, pica y tiene una secreción amarillenta corrosiva y acre que empeora entre los períodos, ella sugiere la misma dosis de *Kreosote*.

Una dosis de 6X de *Graphites* tres veces al día ayudará si usted tiene una secreción blanca, pálida, fina, profusa e irritante que ocurre esporádicamente y que puede ser peor por la mañana o cuando camina, según la Dra. Watson. Si usted tiene una secreción verdosa y con sangre acompañada de una sensación como si su piel estuviera en carne viva que parece peor después de orinar pero mejora después de un lavado con agua fría, tome una dosis de 6X de *Mercurius* tres veces al día o una dosis de 30C una o dos veces al día, dice.

VENAS VARICOSAS

Las venas varicosas —esos nudos hinchados y retorcidos de color azulado— son feas y generalmente dolorosas. Se forman cuando las válvulas en las venas pierden su elasticidad y las paredes se debilitan y desarrollan bolsillos en forma de globos. Esos bolsillos atrapan la sangre y causan obstrucciones menores e inflamación. Las venas varicosas se forman más frecuentemente en las piernas pero también pueden aparecer en los brazos.

Ya que la tendencia a desarrollar venas varicosas puede ser hereditaria, probablemente no podrá detenerlas del todo. Pero sus intentos para evitarlas o quitarlas no tienen que ser en vano. Los remedios naturales en este capítulo —en conjunto con cuidado médico y usados con la aprobación de su doctor— pueden ayudar a aquellas con venas varicosas, de acuerdo con algunos profesionales de salud.

Consulte al médico cuando. . .

- **Las venas varicosas se vuelvan dolorosas.**
- **Vea bultos rojizos en las venas que no se achican aun cuando levanta las piernas.**
- **Tenga venas varicosas alrededor de los tobillos, que se rompen y empiezan a sangrar.**

Alimentos

"Una alimentación rica en fibra puede prevenir el endurecimiento de sus heces, las cuales pueden crear presión y agravar las venas varicosas", dice el Dr. Julian Whitaker, fundador y presidente del Whitaker Wellness Center, un centro de bienestar en Newport Beach, California. Él sugiere que trate de consumir por lo menos 30 gramos de fibra al día. Usted puede consumir esta cantidad si prepara sus comidas a base de cereales integrales, legumbres, frutas y verduras, y agrega estos alimentos a su alimentación tan frecuentemente como sea posible.

El Dr. Whitaker también recomienda comer muchas zarzamoras y cerezas porque son ricas en compuestos que pueden prevenir las venas varicosas y disminuir las molestias que causan.

Aromatoterapia

Estimule la circulación en las piernas con un masaje suave, recomienda Judith Jackson, una aromatoterapeuta de Greenwich, Connecticut. Ella sugiere mezclar 12 gotas de aceite esencial de ciprés y 12 de geranio en 4 onzas (120 ml) de aceite portador como el de almendra, soya o girasol. (Los aceites portadores se pueden adquirir en la mayoría de las tiendas de productos naturales). Luego, explica, aplique la mezcla suavemente en las piernas y masajee hacia arriba en dirección hacia el corazón. No masajee directamente en las venas, comenta Jackson; en cambio, hágalo en el área circundante y aplique el aceite suavemente sobre las venas.

Para información sobre cómo preparar y administrar aceites esenciales más precauciones sobre su uso, vea la página 25.

Homeopatía

Hay por lo menos cuatro remedios que pueden ayudar a controlar las venas varicosas, indica el Dr. Andrew Lockie, un autor de libros sobre la homeopatía. Su sugerencia es tomar una dosis de potencia 30C de uno de estos remedios cada 12 horas hasta 7 días como máximo.

Si tiene venas varicosas doloridas y con cardenales (moretones, magulladuras), pruebe *Hamamelis,* dice el Dr. Lockie. Si tiene escalofríos y si las venas empeoran cuando usted deja colgar sus piernas o con el calor, recomienda que tome *Pulsatilla.* Otro remedio es *Carbo vegetabilis* que sirve para las venas varicosas que hacen que la piel a su alrededor se vea moteada. Si las piernas se ven pálidas pero se enrojecen con facilidad y si caminar lentamente alivia el sentimiento de debilidad y dolor, el Dr. Lockie recomienda probar *Ferrum metallicum.*

Jugos

Los jugos de frutas frescas pueden ser muy buenos para quienes tienen venas varicosas, dice Cherie Calbom, M.S., una nutricionista certificada de Kirkland, Washington. Las cerezas, zarzamoras y arándanos contienen antocianinas y proantocianidinas, unos pigmentos que tonifican y fortalecen las paredes de las venas, explica Calbom. La piña (ananá) es rica en la enzima bromelina, la cual ayuda a prevenir coágulos de sangre, una complicación poco común pero seria de las venas varicosas.

"Los jugos proporcionan estos nutrientes en concentraciones mucho más altas que las que podría obtener si simplemente comiera las frutas", dice Calbom. Ella sugiere beber 8 onzas (240 ml) de jugo de piña o cerezas frescas, solo o diluido con otro jugo de fruta, una o dos veces al día para que dé el mejor resultado posible.

Para información sobre técnicas para hacer jugos, vea la página 50.

(*Nota:* Para conseguir los remedios naturales recomendados en este capítulo, consulte la lista de tiendas en la página 170).

ILUSTRACIONES Y RECURSOS

MOVIMIENTOS DE MASAJE SUECO

Effleurage. Use las palmas de las manos o las yemas de los dedos para tocar suavemente cualquier parte del cuerpo que esté masajeando. Use movimientos largos y deslizantes con presión suave y siempre masajee hacia el corazón. Por ejemplo, si usa esta técnica en las piernas, masajee hacia arriba desde los tobillos, tal como se muestra. En los brazos, masajee desde la muñeca hacia el hombro.

Petrissage. Agarre suavemente el músculo que quiera masajear y coloque el dedo pulgar a un lado del músculo y los otros dedos al otro lado. Suavemente levante el músculo del hueso, amáselo y apriételo. Luego deje escapar el músculo de los dedos. Entonces lo puede agarrar con la otra mano. Recorra por el músculo hacia arriba o hacia abajo al mover la mano 1 a 2 pulgadas (2.5 a 5 cm) después de masajear cada sección del músculo.

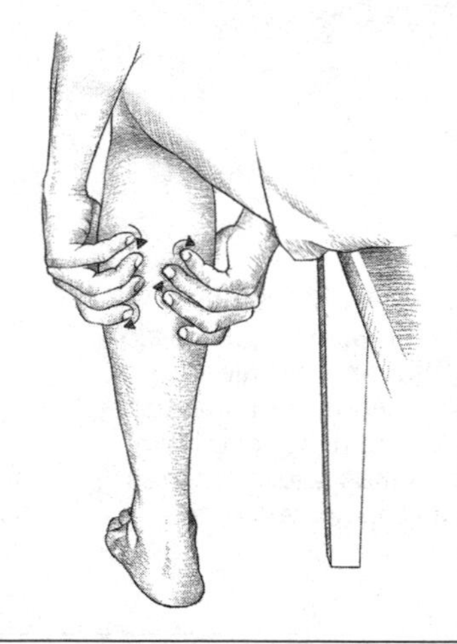

Fricción. Use las yemas de los dedos y los pulgares para hacer movimientos pequeños y circulares en el músculo que quiera masajear. No se deslizan las yemas sobre la piel, sino que se quedan fijas y masajean por la piel para llegar al músculo que está debajo de esta. Varíe la presión, empezando con presión ligera y auméntela después de uno a dos minutos. Para los músculos más grandes como el muslo o la espalda, use la palma o la base (el pulpejo) de la mano. De nuevo, haga movimientos circulares y varíe la presión.

(continúa)

MOVIMIENTOS DE MASAJE SUECO (Continuación)

Tapotement. Golpee ligeramente o dé palmadas cortantes y vigorosas en el músculo que quiera masajear usando las yemas de los dedos, el costado de las manos, las palmas ahuecadas o los puños levemente cerrados. Haga movimientos cortos, ligeros y rápidos, como si tocara un bongó. Debe sentirse más como un contacto rítmico y rápido que como un golpe de karate.

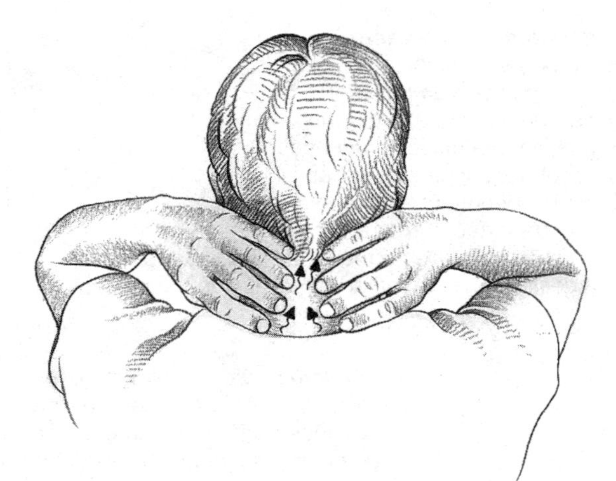

Vibración. Coloque una o ambas manos en el músculo que quiera masajear, con los dedos extendidos. Presione hacia abajo firmemente y use todo el brazo para transmitir un movimiento tembloroso por varios segundos. Mueva las manos continuamente o levántelas y córralas unos centímetros. Repita hasta que haya cubierto el músculo entero. Para una versión más suave, use las yemas de los dedos y presione hacia abajo más suavemente, tal como se muestra.

Relajamiento basado en estiramiento

Empuje las cejas hacia arriba con los dedos índice y empuje las mejillas hacia abajo con los pulgares. Mantenga esta posición durante aproximadamente 10 segundos. Luego suelte y deje que relajen los músculos alrededor de los ojos.

2.

Después de un minuto de relajamiento, deje caer la cabeza lentamente hacia el hombro durante unos 10 segundos. Luego deje caer la cabeza lentamente sobre el hombro izquierdo durante otros 10 segundos. Asegúrese de no levantar el mentón para evitar una extensión excesiva de los músculos de la cabeza y el cuello.

3.

Junte las manos como si estuviera rezando. Luego, mientras mantiene las yemas de los dedos y las palmas juntas, extienda los dedos como si crearan un abanico. Mueva los pulgares hacia abajo por la línea media del cuerpo hasta que sienta un estiramiento suave en la parte baja de los brazos. Mantenga esta posición durante unos 10 segundos, y luego relájese.

(continúa)

RELAJAMIENTO BASADO EN ESTIRAMIENTO (Continuación)

Entrelace los dedos y levante las manos sobre la cabeza, como se muestra en la ilustración (4a). Enderece los codos y gire las palmas de las manos hacia afuera (4b). Luego mueva los brazos hacia atrás por sobre la cabeza hasta que sienta resistencia (4c). Mantenga esta posición por aproximadamente 10 segundos, luego suelte las manos rápidamente y deje descansar los brazos a los costados por un minuto.

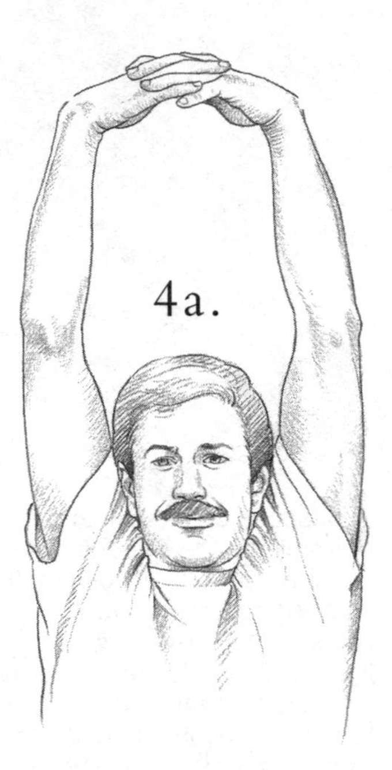
4a.

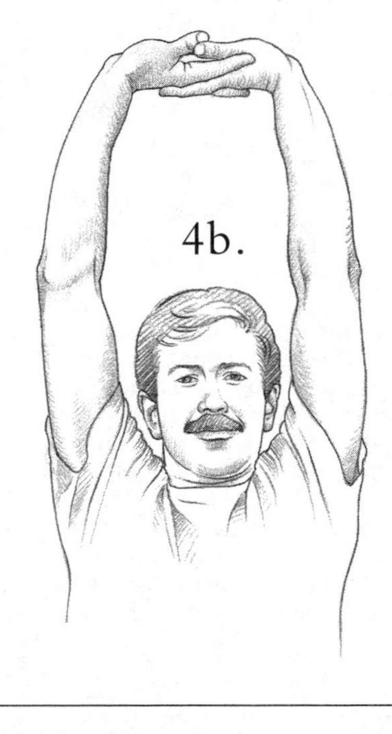
4b.

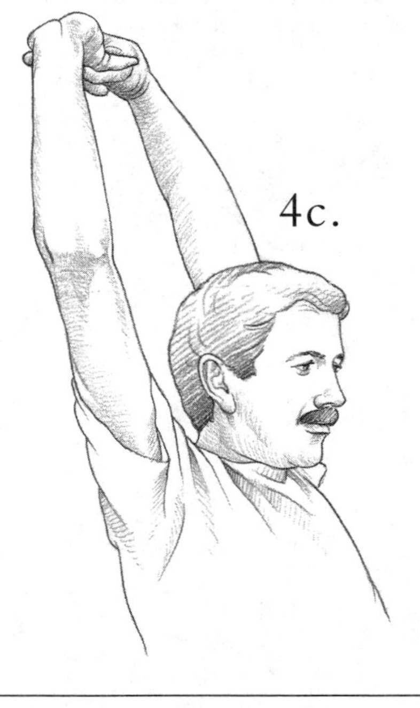
4c.

GLOSARIO

Para que le sea más fácil conseguir los productos naturales mencionados en este libro, hemos incluido este glosario, el cual abarca hierbas, otros productos naturales y términos especializados usados a lo largo del libro. Para las hierbas, hemos incluido sus sinónimos en español y sus nombres en inglés y latín.

Aceite portador Un aceite que se mezcla con aceites esenciales curativos para facilitar la aplicación de estos últimos, como por ejemplo aceite de oliva, de almendra o de sésamo (ajonjolí). Se consiguen en las tiendas de productos naturales. En inglés: *carrier oils.*

Agripalma En inglés: *motherwort.* En latín: *Leonurus cardiaca.*

Áloe vera Sinónimos: acíbar, atimorreal, sábila, zábila. En inglés: *aloe.* En latín: *Aloe vera.*

Bardana Sinónimo: cadillo. En inglés: *burdock.* En latín: *Arctium lappa.*

Cantidad Diaria Recomendada Se trata de la cantidad recomendada de un nutriente, trátese de un mineral, una vitamina u otro elemento dietético. Las Cantidades Diarias, conocidas en inglés como *Daily Values* o por las siglas *DV*, fueron fijadas por el Departamento de Agricultura de los Estados Unidos y la Dirección de Alimentación y Fármacos de los Estados Unidos. Se encuentran en las etiquetas de la mayoría de los productos alimenticios envasados en los Estados Unidos y corresponden a las necesidades nutritivas de los adultos a partir de los 18 años. Si usted desea averiguar las necesidades específicas de los niños, consulte a su pediatra o a un nutriólogo.

Corazoncillo Sinónimos: hipérico, yerbaniz, campasuchil. En inglés: *St. John's wort.* En latín: *Hypericum perforatum.*

Cúrcuma Sinónimo: azafrán de las Indias. En inglés: *turmeric*. En latín: *Curcuma longa*.

Enebro Sinónimos: nebrina, tascate. En inglés: *juniper*. En latín: *Juniperus*, varias especies.

Equinacia Sinónimos: equinácea, equiseto. En inglés: *echinacea*. En latín: *Echinacea*, varias especies.

Fruto seco Alimento común que generalmente consiste en una almendra comestible encerrada en una cáscara. Entre los ejemplos más comunes de este alimento están las almendras, las avellanas, los cacahuates (maníes), los pistachos y las nueces. Aunque muchas personas utilizan el termino "nueces" para referirse a los frutos secos en general, en realidad "nuez" significa un tipo común de fruto seco en particular.

Gaulteria En inglés: *wintergreen*.

Gayuba Sinónimos: aguavilla, uvaduz. En inglés: *bearberry*. En latín: *Arctostaphylos uva ursi*.

Gordolobo Sinónimo: verbasco. En inglés: *mullein*. En latín: *Verbascum thapsus*.

Hidraste Sinónimos: Acónito americano, sello de oro, sello dorado. En inglés: *goldenseal*. En latín: *Hydrastis canadensis*.

Integral Este término se refiere a la preparación de cereales (granos) como el arroz, el maíz, la avena o el trigo. En su estado natural, los cereales cuentan con una capa exterior muy nutritiva que aporta fibra dietética, carbohidratos complejos, vitaminas del complejo B, vitamina E, hierro, cinc y otros minerales. No obstante, para mejorar su presentación muchos fabricantes les quitan las capas exteriores a los cereales. La mayoría de los nutriólogos y médicos recomiendan que comamos cereales integrales (excepto en el caso del alforjón o trigo sarraceno) para aprovechar los nutrientes que aportan. Estos productos se consiguen en algunos supermercados y en las tiendas de productos naturales. Entre los productos integrales más comunes están el arroz integral (*brown rice*), el pan integral (*whole-wheat bread* o *whole-grain bread*), la cebada integral (*whole-grain barley*) y la avena integral (*whole oats*).

Lino — Sinónimo: linaza. En inglés: *flax*. En latín: *Linum usitatissimum*.

Matricaria — Sinónimo: margaza. En inglés: *feverfew*. En latín: *Tanacetum parthenium*.

Melaleuca — En inglés: tea tree. En latín: *Melaleuca quinquenervia*.

Milenrama — Sinónimos: alcaina, milhojas, real de oro. En inglés: *yarrow*. En latín: *Achillea milefolium*.

Naturópata — Un doctor o doctora que ejerce la naturopatía, un sistema de tratamiento médico basado en la medicina natural. La naturopatía incorpora diversos tipos de tratamiento natural, entre ellos hierbas, alimentos, ayurveda, homeopatía, hidroterapia, meditación y medicina china.

Nébeda — Sinónimos: hierba de los gatos, hierba gatera, calamento. En inglés: *catnip*. En latín: *Nepeta cataria*.

Ortiga — En inglés: *nettle*. En latín: *Urtica dioica*.

Pasionaria — Sinónimos: hierba de la paloma, pasiflora, hierba de la parchita. En inglés: *passion flower*. En latín: *Passiflora incarnata*.

Perdiz — En inglés: *partridgeberry*. En latín: *Mitchella repens*.

Regaliz — Sinónimo: orozuz, palo dulce. En inglés: *licorice*. En latín: *Glycyrrhiza glabra*.

Regaliz desglicirrinado — En inglés: *deglycyrrhizinated licorice*.

Toronjil — Sinónimo: melisa. En inglés: *lemon balm*. En latín: *Melissa officinalis*.

Trébol rojo — En inglés: *red clover*. En latín: *Trifolium pratense*.

TIENDAS DE PRODUCTOS NATURALES

Para ayudarla a conseguir los productos mencionados en este libro, hemos preparado esta lista de tiendas de habla hispana que venden algunos de ellos. El hecho de que hayamos incluido una tienda en esta lista no significa que la estemos recomendando y por supuesto, tampoco abarcamos todas las tiendas de productos naturales de habla hispana. Nuestra intención es darle un punto de partida para conseguir productos naturales. Si usted no encuentra en esta lista una tienda que le quede cerca, tiene la opción de escribirles a alguna de estas para que le envíen los productos que desea. Hemos señalado con una estrella a aquellas que envían pedidos internacionalmente. También puede buscar una tienda en su zona consultando su guía telefónica local bajo "productos naturales" o "*health food stores*".

ARIZONA

Yerbería San Francisco
961 W. Ray Road
Chandler, AZ 85224

Yerbería San Francisco
6403 N. 59th Avenue
Glendale, AZ 85301

Yerbería San Francisco
5233 S. Central Avenue
Phoenix, AZ 85040

CALIFORNIA

Capitol Drugs, Inc.*
8578 Santa Monica Boulevard
West Hollywood, CA 90069

Centro de Nutrición Naturista*
6111 Pacific Boulevard
Suite 201
Huntington Park, CA 90255

Centro de Salud Natural
111 W. Olive Drive #B
San Diego, CA 92173

Centro Naturista
7860 Paramount Boulevard
Pico Rivera, CA 90660

Centro Naturista Vida Sana
1403 E. 4th Street
Long Beach, CA 90802

Consejería de Salud Productos Naturales
2558 Mission Street
San Francisco, CA 94110

Cuevas Health Foods
429 S. Atlantic Boulevard
Los Ángeles, CA 90022

El Centro Naturista
114 S. D Street
Madera, CA 93638

Franco's Naturista*
14925 S. Vermont Avenue
Gardena, CA 90247

La Yerba Buena*
4223 E. Tulare Avenue
Fresno, CA 93702

COLORADO

Tienda Naturista
3158 W. Alameda Avenue
Denver, CO 80219

CONNECTICUT

Centro de Nutrición y Terapias Naturales*
1764 Park Street
Hartford, CT 06105

FLORIDA

Budget Pharmacy*
3001 NW 7th Street
Miami, FL 33125

XtraLife*
340 Palm Avenue
Hialeah, FL 33010

ILLINOIS

Centro Naturista Nature's Herb
2426 S. Laramie Avenue
Cicero, IL 60804

Vida Sana
4045 W. 26th Street
Chicago, IL 60623

MASSACHUSETTS

Centro de Nutrición y Terapias*
1789 Washington Street
Boston, MA 02118

Centro de Nutrición y Terapias*
107 Essex Street
Lawrence, MA 01841

NUEVA JERSEY

Be-Vi Natural Food Center
4005 Bergenline Avenue
Union City, NJ 07087

Centro Naturista Sisana
28 B Broadway
Passaic, NJ 07055

Natural Health Center
92 Broadway
Newark, NJ 07104

Revé Health Food Store
839 Elizabeth Avenue
Elizabeth, NJ 07201

NUEVA YORK

Vida Natural*
79 Clinton Street
New York, NY 10002

PENSILVANIA

Botánica Pititi
242 W. King Street
Lancaster, PA 17603

PUERTO RICO

Centro Natural Cayey*
54 Muñoz Rivera
Cayey, PR 00737

Centro Naturista Las Américas
634 Andalucía
Puerto Nuevo, PR 00920

El Lucero de Puerto Rico*
1160 Americo Miranda
San Juan, PR 00921

La Natura Health Food*
Carretera 194
Fajardo Gardens
Fajardo, PR 00738

Milagros de la Naturaleza*
E-42 Calle Apolonia Guittings
Barriada Leguillow
Vieques, PR 00765

Natucentro
Av. Dos Palmas 2766
Levittown, PR 00949

Natucentro
92 Calle Giralda
Marginal Residencial Sultana
Mayagüez, PR 00680

Natural Center
Yauco Plaza #30
Yauco, PR 00698

Nutricentro Health Food*
965 de Infantería
Lajas, PR 00667

TEXAS

Botánica del Barrio
3018 Guadalupe Street
San Antonio, TX 78207

Centro de Nutrición La Azteca
2019 N. Henderson Avenue
Dallas, TX 75206

El Paso Health Food Center
2700 Montana Avenue
El Paso, TX 79903

Hector's Health Company
4500 N. 10th Street
Suite 10
McAllen, TX 78504

Hierba Salud Internacional
9119 S. Gessner Drive
Houston, TX 77074

La Fe Curio and Herb Shop
1229 S. Staples Street
Corpus Christi, TX 78404

Naturaleza y Nutrición*
123 N. Marlborough Avenue
Dallas, TX 75208

ÍNDICE DE TÉRMINOS

Las referencias con letras **en negritas** indican que en esa página aparecen ilustraciones del tema tratado. Las referencias subrayadas indican que el tema se trata dentro de un recuadro.

A

B

C

G

H

M

N

O

P

Q

R